U0064407

劉福春・李怡 主編

民國文學珍稀文獻集成

第四輯

新詩舊集影印叢編　第156冊

【楊騷卷】

記憶之都

上海：商務印書館 1937 年 6 月初版

楊騷 著

花木蘭文化事業有限公司

國家圖書館出版品預行編目資料

記憶之都／楊騷 著 -- 初版 -- 新北市：花木蘭文化事業有限公司，
2023〔民 112〕
324 面；19×26 公分
（民國文學珍稀文獻集成．第四輯．新詩舊集影印叢編 第 156 冊）
ISBN 978-626-344-144-6（全套：精裝）
831.8　　111021633

ISBN-978-626-344-144-6
9 786263 441446

民國文學珍稀文獻集成．第四輯．新詩舊集影印叢編（121-160 冊）
第 156 冊

記憶之都

著　　者　楊　騷
主　　編　劉福春、李怡
企　　劃　四川大學中國詩歌研究院
　　　　　四川大學大文學學派
總 編 輯　杜潔祥
副總編輯　楊嘉樂
編輯主任　許郁翎
編　　輯　張雅淋、潘玟靜　美術編輯　陳逸婷
出　　版　花木蘭文化事業有限公司
發 行 人　高小娟
聯絡地址　235 新北市中和區中安街七二號十三樓
　　　　　電話：02-2923-1455／傳真：02-2923-1452
網　　址　http://www.huamulan.tw 信箱 service@huamulans.com
印　　刷　普羅文化出版廣告事業
初　　版　2023 年 3 月
定　　價　第四輯 121-160 冊（精裝）新台幣 100,000 元　

記憶之都

楊騷 著

商務印書館（上海）一九三七年六月初版。原書四十二開。

記憶之都
楊騷著

文學研究會
創作叢書
第二集

記憶之都

楊騷著

商務印書館發行

目錄

記憶之都

人物：

人。

姐星。

妹星。

巡星甲、乙。

所在：

天上。

景：

幽玄的碧空，浮雲塊塊，月亮在雲中飛走似的。

幕開時，姐星妹星靜坐在雲塊上，上身稍俯，好像在聽什麼似的。

聲

這在雲中戰慄着，好像剛行了葬禮回來的寡婦月娘……啊！我的母親！我的母親！這

好像抱着孤兒哭泣哀訴的月娘！

（片雲遮沒了月亮）

聲

好像蒙着黑帕悲嘆着的尼姑月娘……啊！我的姐姐！我失了戀的姐姐！她好像伸手

在招我，好像淚痕滿面地瞧着我！

（薄雲飛開，皓月明亮亮地照着）

聲

哦！用着銀梳梳好了她的頭髮，用着銀河裏頭的水洗淨了她的淚痕，現出她的滿面

的笑容窺我呢！啊！這個月娘！這個月娘！好個清澈的夜景！幾點稀少的星星，好像侍女似地

跟着她，羞羞怯怯地偷看着我，嫣嫣滴滴地好像指着我在私語……啊坐在這路邊的石塊上瞧瞧罷。

姐星（身微動。細細的嘆息！）

好一位可愛的小生喲！

妹星（身微動）

他是地上的幽靈呢。

姐星

他是人間的詩人。

妹星

喲，他儘管望我們出神他很喜歡我們似的！

姐星

他在望我呢。

妹星

望我呢，姐姐！

姐星

他如果登上天來了，不知有多少好玩？

妹星

他怎麼能够登上天來？我們這裏是禁色彩登犯的；而他又沒有白孔雀的羽毛做羽翼，那樣笨重。他們自稱爲人，人的血和肉是很沉重而蠢笨而又很柔弱流動的！他怎麼能够飛上天來呢？

姐星

有個方法呢，就只有個方法呢。他如果吸收了我們月娘娘的嘆氣，他的血就會變成像銀河裏的水那樣淸，肉就會像白雲那樣輕的。你看啦，你看他不像本來的樣子了呢！我們剛才月娘娘的嘆息恐怕被他攝取去了的。你看他不是浮浮欲動飄飄欲騰的樣子？可是，可是還還不成功。雖他得到了我們月娘娘的噓唏，血已像銀河地淸，肉已像白雲地輕，但還要一縷的音韻作引子。這縷音韻可就難得了！

妹星

什麼音韻有這樣難得？最難得不過也是玉帝的天樂罷。

姐星

玉帝的天樂人間固然難得聽；但這一縷的音韻却要比玉帝的天樂効用大。它能夠知道上界一切的神祕，它一聲就可以通徹天地！它能夠使人間神馳魂飛，能夠使人間一切的血肉慾望消沉！它能夠使月娘娘臉變色，能夠使玉帝心驚！因爲它一聲就可以喝破宇宙的深奧，一聲就可以震動我們淸澈晶瑩的心肝，一聲就可以叫人的靈魂上遊廣寒宮的。

妹星　什麼音韻有這樣稀奇？

姐星　稀奇也不甚稀奇。不過人們的耳朵被銅鑼破鉢以及五金的聲響太打壞了，聽不出它的微妙精英來呢。人們的耳朵不會聽呢。不，我話說錯了，人們的耳朵並不是不會聽，是不會看的哩！它有無限的色彩，有神祕的光澤，任人間所有最美麗最貴重的顏料也比它不及的呵！

妹星　耳朵本來司聽的，叫它們怎得發生眼睛的効用？

姐星

喲！妹妹，這就是了！這就是人間的蠢處了！他們的鼻子只會嗅不會味；他們的舌頭只會味不會嗅；他們的手足只會跳舞不會飛翔；他們的耳目只會視聽不會思想。這就是人們的蠢處了！並且他們中間要出了一些喫人的聖人，設種種的禮，種種的規範，將他們本來狹小淺現的聽官視線感覺等等更縮小戒嚴麻木了，終於生了許多盲人啞巴聾子半身不遂的廢物來！不，其實他們可以說個個都是這樣的廢物！你看這可憐不可憐？蠢不蠢？

妹星

那麽，他們的中間竟找不出一個聰明人來了，竟找不出一個可以耳看目聽的人來了！

姐星

這也，不盡然。不過很難得就是。要經過許多的歲月，才好像從很深很深的海溝裏生出一兩點的氣泡水珠似地出現了一兩個人！可是妹妹你想，這勢孤的一兩點水珠可以在汪洋險惡的大海波浪中長在麼？這些可寶可貴可惜的明珠一出，衆人都要來罵他攻擊他，不是說他狂人，就是說他叛徒或墮落！連一口飯一單衣都不肯輕易給他受用！所以這種人屢欲自暴自棄，自傷自感，以至於夭折。你看這可憐不可憐？然到了他死後，一般羣衆却又要惋惜他，追悼他起來了！可是雄偉華麗的石碑墓道，也只好供蔓草蕪籐的橫生斜走了！你看這可憐不可憐，蠢不蠢，人們？

妹星

姐姐，你常要發這些牢騷，替他們嘆息，可是你的嘆息吹不得他們頭髮動毛孔開呢！他們頭上是有幾重的凶氛惡氣的……！哦！我們竟將本題提歪了！到底你剛才說的那一縷音韻是什麼。

姐星

烏夜啼。

妹星

有這樣的事麽？

姐星

你還未聽過麽？假使你聽了，一定會飛到處女宮去，跳循環的舞蹈，或是跳到白鳥座去唱哀歌哩！妹妹，我是聽過兩回的。第一次我聽到了，躲在廣寒宮的桂花樹底下，淚珠不知何來的一點一滴盡墜，心中說不出有什麽哀愁；第二次，哦，那種淸寂幽玄的音韻，就使我低着頭，恍恍盪盪地走到天秤宮，跪下玉階作永遠的祈禱了！

妹星

哦，有這麽一回事麽？我倒想聽一聽！是很不容易聽到的麽，姐姐？

姐星

聽到倒是不難，不過要聽出它音裏的色彩情調是不容易的。假如聽不出它的奧妙處，就聽得了，也不過是一種極平凡的自然之聲罷了。

妹星

那麼，可以常常聽得到，姐姐？是在什麼時候才聽得到的呢？

姐星

剛才我不是說烏夜啼麼？這不可思議的聲音，是從一種的烏鵲生出來的，牠不是遍身黑漆的烏鴉，牠的羽毛是灰白色的喲。牠是常要夜裏出來遨遊的。尤其是我們月娘娘將她晶瑩皎潔的笑容探出照耀得下界如夢中境的時候。

妹星

牠爲何要啼呢？

姐星

牠原是宇宙的迷烏，四處飛迷的。你想牠夜裏出來遨遊就是爲着遨遊麼？那就錯了。

牠是無時無刻不在探求最優美最秀麗的巢穴的喲！當牠正在空中迷離的時候，如果碰着流星下犯，或是我們月娘娘探首失望大千時，牠就要哀啼起來了。

妹星

哦！有這樣古怪的事！（指着下界）假如他，那個人聽見了這種烏夜啼，他就會飛臨上空麼，眞的？

姐星

眞的啦，我騙你做什麼？獃妹子！但他也是個聾子罷，他不會聽出什麼來的……

妹星

姐姐……

姐星

什麼，妹妹？

妹星

（慢慢地站起，指望下界）他有很好看的頭髮……

姐星

（慢慢地站起，俯視）很清瘦可愛的。

妹星

眞的哩，很清瘦可愛！他若能够上來一定是很好玩的……

姐星

他好像在看什麽似的哩，又好像在想什麽的樣子。

妹星

他好像很不安似的。他的心中好像有浮雲在起落奔湧……

姐星

他好像在凝視什麼……

妹星

不是，他好像在做夢哩！你看他，看他仰視到我們這兒來的眼睛，那是好一雙美迷的眸子喲！我眼睛很銳的，我能够看見地上的一枝銀針。他在做夢呵。不錯，他是在做夢的，他夢見天上的仙女駕着浮雲在月下飛舞罷！實在，他好像在凝視什麼。姐姐，他在凝視什麼？

姐星

哦，我曉得了！他在看你，他的確在看你！他好像在你身上看到樂園似的……

妹星

他在看你喲，姐姐！

姐星

啊，聽啦，他在唱什麼……

詩

Never seek to tell thy love,
  Love that never told can be;
For the gentle wind doth move,
  Silently, invisibly.

I told my love, I told my love,
  I told her all my heart!
Trembling, cold, in ghastly fears.
  Ah! she did depart!

Soon after she was gone from me,
A traveller came by,
Silently, invisibly.
He took her with a sigh.

妹星

這是什麼歌呢。姐姐，這是什麼歌呢？我聽不懂。

姐星

那是熱情奔放而神秘的詩人 Blake 的歌喲……

妹星

哦！看啦，他眼簾掛下兩顆淚珠了，他在哭呵……啊！他又在說什麼似的，姐姐……

聲

天上的星星喲，星星！你們晶瑩還是我的眼淚澄淸？爲了我流下的眼淚太澄淸了，我的兩眼才朦朧着失了神的呀！然而我失了神的朦朧着的這個眼睛要開起來了罷；是，快開起來了，爲着要看神祕的美，神祕的愛，神祕的悲哀！

星星！你們曉得麼？我抱着眞紅的心，跑上蒼蒼的山林，在那裏，啊，在那裏我俯伏在至純的愛情的胸上，流了眼淚如你們閃閃的星星！在那裏，啊，在那裏我傷感之餘，把嘆息的微風將綠波吹起，使綠波唱出哀婉的歌曲！

妹星

哦，他在對我們說哩，姐姐！

姐星

我們好像被他看見了似的。我們去罷……

妹星

等等，等等，他好像要再說什麼似的。聽啦，好可愛的聲音……

聲

但如今啦，如今！我已是一條浮浪的幽靈；我的生命如何那麼短？時節還是深春，我的花已落，葉已飛，掉不復返！啊，星星！你們曉得麼？絕望與悲哀麻木了我的神經，我只四方彷徨，泣着尋我的心，泣着尋我的心！縱使地上起了熱狂的暴風，天上下了如劍的冷雪，哦，星星！就你們墜下痛擊了我身還是醒不得我深迷了的夢遊病！什麼希望，什麼永遠，什麼光明，啊！去罷，什麼美人？

妹星

姐姐，他要死了的樣子哩！

姐星

那是人間的沉悶哩；要死，他年還輕。

聲

我死了麼？我已絕了命？哦，星星，你們曉得；我還望着，我還在這兒對你們流淚，呻吟！我借了你們神祕的清光，看見了Blake開闢過的不可思議的神祕園林。這園林，啊！這園林！這不是人工的華奢的樓臺花苑，人工太臭汗臭腥臭，巧這也不是自然的茫然的風光山水，自然只給人以肥料。這園林，啊，這園林，這是Blake幼時就看到了的神祕的樂園裏頭開着色色美麗的花！有人要說裏面住着永遠的神，永遠的美，永遠的愛；但是錯了！自人間有了永遠兩個字以來，爲着它等死了的詩人很多，看到它的還未曾有過一個。所有都是瞬間。一切生自瞬間，生於瞬間，死於瞬間。是呀，Blake把他特有的瞬間的美，愛，熱，苦惱，悲哀……等等色色的花，用神祕的籬柵圍在這園林裏！並且這神祕的柵門不會使人疑惑，不安，只給人家以無限的希望，憧憬。啊！星星，你們天上的星星！你們也看見了這個神祕的

園林？我將走入這個園林，我將由裏面的希望和憧憬新生！我們人，啊！我們人只靠着希望
與憧憬以生，即使希望與憧憬終是不可實現的暗星！但實現有何用？假使宇宙間有永遠
的事物，那只有不實現是最遠最永！是呀，天上的星星，我只要有希望和憧憬！我將走入
Blake的神秘園林！裏面有許多花鳥爲我飛舞歌鳴！是呀！我將排棄古人陳舊的哀怨嘆
息，醉倒在裏面的花瓣，靜聽，聽小鳥高唱低鳴！那時，啊，那時我歡喜的淚泉將不斷地湧出
新的憧憬與歡慰的淚珠，像你們晶瑩的星星淚珠來賠我失掉了的心！啊！是呀！我今晚就
在這個石塊上望天心做夢做到天黎明……

妹星

姐姐；聽了他的話，曉得如何，心中很酸痛似的……（依在姐星胸前）

姐星

那要不得！你愛着了他似的。我們去罷，我們去罷！（催着妹星走）

妹星

（離開姐星兩步，又俯首看下界）啊！他睡了哩！就他有很聰敏的耳朶，他也不得聽到烏夜啼了！他再也不得飛上天來了！

姐星

妹妹，眞的你愛着他了哩，假如是，他飛上天難，你墜下地却很容易的……

妹星

啊！姐姐！曉得如何，很想捫捫他的頭髮看。好美麗的頭髮喲，在月光下脈脈地生銀河中的微波似的……

姐星

那麼想他，我替你引他上來好麽？

妹星

（喜氣）眞的！你怎麼能够帶他上來？你不怕犯罪麼？

姐星

哦，爲着愛，那天邊永遠沉默着的姐妹星們也會騷動起來的罷！什麼罪不罪呢？自從人間奔了一位美女嫦娥，來玉帝失了戀。才恨死了人間，把我們都禁在情外天之內……

妹星

玉帝爲什麼會失戀？這倒是個新奇的話兒！

姐星

爲着嫦娥只愛人間罷。

妹星

那麼，嫦娥爲什麼要出走人間？

姐星

爲着人間太愛了她罷。

妹星

還使我越覺糊塗！

姐星

你不曉得麼？人間的愛是殘酷利己的。他們總想把所愛的生吞下去。

妹星

生吞！哦，可怕的……但我不大相信；（指望下界）像他那麼柔和地……

姐星

是，或者他要特別好些……我替你引他上來好麼？

妹星

但是……

姐星

但是?但是什麼?

妹星

但是,曉得如何,很害羞似的。

姐星

就是啦,你愛着了他的!我引他去來罷,乘他在睡夢中……

妹星

你也多少愛他罷,姐姐?

姐星

我不會愛他的,你不要操心。就我愛他,爲着你,我什麼都可以犧牲!,不犧牲是地上的死物廢語,天上沒有這種醜東西!就我愛他,我們就互相愛罷。

妹星

啊！姐姐，我眞歡喜！你快引他去來罷。我在這兒等。不，不，我躲到白雲深處去，或者藏在鱗雲重疊裏……不，不有什麼害羞？有什麼害羞的？我到裏面去偷幾隻仙桃來給他喫罷，（與姐星親吻一下，快活地）姐姐，你快去罷……（一片白雲把妹星掩去。姐星佇立片刻，微笑着趕着白雲陣陣隱滅。）

巡星甲

（偷偷地從雲塊後探首出來，慢慢地走出，俯望下界。）蝴蝶樣地輕勻飄下了啦，飄下了啦！（手舞）唱一個思凡的歌來罷……唱起來，唱起來（唱）

還蒼茫渺漠的天上，
看，看看幽思的星兒，
空懸着愛的燦爛，

悵望永刼的流光消散！

地上熱和熱，雖地上骯髒；
人間愛與愛，雖人間受難。
墜落罷，墜落地上人間，
管它足下有急水驚灘！

唱了這歌，自己也想跳下地皮上滾一滾看了！然而職務還是職務，我是巡星啦。聽到什麽，看到什麽，都一一要去報告的。細想，天上有職務實在是奇異極了。不，簡直是上界的恥辱！我們要什麽職務？我們各人做各人的，喜歡做就做；不定什麽罪，總之沒有人犯罪。這才是天國啦！唔……唔……有想場，有想場！天上老是這樣空空洞洞，落落寞寞地不長進，而地上却一日千里在發跑。近來他們竟發明了罷工這件有力的運動了。地上的人比天上的仙聰明多了的樣子！，唔唔……唔……有想場！有想場！把同途的集攏起來，在天庭鼓動一回 Strike 看看罷！天庭還須改革一下才好呢……但是，得再好好考慮一下……

（望下界）哦呀，來了來了！在天堂未革新以前，還是忍着行使自己的職權罷，趕快報告去來！（忽忽從雲塊之後隱躲舞臺空處片刻，姐星引人上。）

姐星

可愛的人。憧憬的子孫，宇宙的迷兒喲！你來罷，來罷！

人

哦！我的心忽暗忽明……請問姐姐。此地何方？你要帶我何往？

姐星

這就是天界呀。你只跟我來罷。天路雖長，但不使行人步艱。遍途是仙女散滿了紅花

的。沒有牛蹄馬跡，也沒有半點灰塵。太空透澈，不像下界那麽煙霞壓人的。熱不使你流汗，
冷不使你受寒……哦，可愛的人，你不覺得身手輕鬆，呼吸自由麽？最大的原因就是這兒
沒有人間的苦勞嘆息結成的空氣。

人

這就是天界了麽？（凝視四方）那末，爲什麽那些星星還是遠着遠着地發光輝？我
想上了天一定可以捫得到那可愛的神祕的星星哩……

姐星

人間天上只隔愛欲一層。這眞的是天界了呵。如果想捫捫那些星兒，隨時都可以捫
得到；但你還有點人間的香味似的！

人

那麽，你說天上沒有愛欲麽？

姐星　無愛何以爲天？不過愛在天上是一種永刼的修練罷了。

人　這樣說來天上也非干淨土了！難怪常有許多小巧的流星要跳下地上來……

姐星　（微笑着）我不說天上沒有悲苦，你自己看看罷。看看天上的情色，到底和地下的相差如何，那時再來和我說好了……

人　你爲什麽要帶我上天呢？你不怕我帶着地下的愛欲登犯麽？

姐星　爲的是我的妹妹很愛你。並且你已滅了愛欲，雖還有點人間味。

人

你的妹妹是誰？她爲什麼喜歡我？

姐星

天上是無來由的，『爲什麼』只好在地下使用。

人

你眞是個詭辯家！你的妹妹比你好看麼？比你美麼？

姐星

你自己判斷好了。

人

（熱情地）世界中再沒有比你美的女子了罷！飛過九重天，墜下十八層地獄，也再找不到你的美了罷！

姐星　要不得，你迷了心性的。你爲什麼會這樣覺得？

人　（笑着）爲什麼？『爲什麼』是地下使用的章辭；在這裏且莫說，讓我們到地下去談罷！

姐星　但我是帶你上天看我妹妹來的。

人　但我不曉得你妹妹，我只愛你；我想把你帶到地上人間去，就因爲你帶我天上來了的。你明白麼？

姐星

啊，要不得！那我眞犯了罪了！

人
天上也有罪犯麼？那不如到地上去！

姐星
但我的妹妹呢？她去偷仙桃要給你喫。

人
偷仙桃給我喫？這樣看來，天上也有盜竊事了！還是地上去好了……

姐星
那麼，你剛才說的神祕的園林呢？

人
那無論怎樣是在人間的。這天國已經飽了我的肚子了……同我去麼？

姐星
要不得！你連不想看我的妹妹麼？

人
已經看到了呢，不是在桃樹上偷紅桃的麼？！啊這裏的空氣這麼單薄虛浮，還是地上好得多……不同我去麼？那麼，我就自已回去了，再會！（返身欲走）

姐星
且等，且等哦……（人駐足聽）

聲
姐姐，救我！救救我！

人
那是什麼？

姐星

啊！我的妹妹，我的妹妹！

（巡星乙拖着妹星出來）

妹星

姐！姐！救我救救我！（瞧到人，羞態）那就是那個人麼，可愛的那個人？！啊害羞，害羞的

……（人奇異的注視着，不動）

姐星

怎麼了，妹妹？怎麼了？（對巡星乙）爲什麼那樣緊拖着我的妹妹！放寬些，放寬些！

巡星乙

（同情似的滑稽着）玉帝自身來了也是沒有辦法罷，因爲這是他老人家自己定下的科條。（妹星俯着首哭泣）

姐星

到底犯了什麽罪呢?

巡星乙

偷了三個仙桃啦。現在把她拘到玉帝面前去，看玉帝做情面不；如一點情面都無，那她須得在那株桃樹下哭三年，用她的淚水來漑灌桃樹贖罪呵！

人

(憤慨着)這比人間還要殘酷些！三個紅桃，三年淚水！，這這殘酷的天國……(對姐星)你好意帶我到天國來，但結果是這樣！你不帶我來好了！你讓我在地上做着永不可思議地做着美的天國夢好了……啊！啊！這種天國於我何用！，再會再會！(又返身欲走)

姐星

(急切地拖着人)我妹妹爲誰偷紅桃！

人

那是我不理會的問題！我不認得她，我沒有唆使她偷……

姐星

啊！傷心，傷心！結局是天上與人間！

人

是呀！我怎樣都是人間之人，我不曉得你們的天國！

姐星

但是我們愛你……

人

假如那麽愛，就從我到人間去！那裏也有盜竊，但沒有爲着愛而受罪的……

姐星妹星

帶我們去帶我們去

巡星乙

要不得！要不得！你們都反了麽？

人

（對巡星乙）先生不必着急罷。我只帶一位仙姑去哩。

姐星

要不得！都帶我們，都帶我們……

人

不！我只帶你去。你一回下了人間，將我帶上天來；我現在一回上了天，帶你到地下去：

這是我們的道路呀！

巡星乙

（嚴厲地）要不得！你一根小草都不得帶到人間去！這是我們天國的閉關主義。

人

（滑稽地）然而走關私逃的流星却夜夜要來找我們人間呵……（牽着姐星手）

我們去罷……

妹星

（傷心地）姐姐……

姐星

妹妹……怎樣好呢？

巡星乙

啊！了不得！了不得！什麼人來了就好，（大聲喊）喂！什麼人來一來呀！

巡星甲

（倉皇從雲塊後走出）我什麽都曉得，什麽都曉得了！我帶了玉帝的意旨來了！……

巡星乙 （歡喜狀）好，好！你趕快把她（指姐星）拖住！她要跟地上的毛蟲去了……

巡星甲 那倒不必。玉帝說：她引誘黔首上犯，挑動妹星，罪該墜落人間受苦！任她去罷。（姐星歡喜狀，然而望着妹星傷情）

巡星乙 這位妹星呢？

巡星甲 玉帝說：起了凡心，再加偷取三個仙桃，罪該在桃樹下流淚三年，然後逐出天界。

巡星乙

好極了，好極了！我們把她綁在桃樹上去來罷……

姐星

（急奔妹星）啊，妹妹，妹妹！我害了你……

（相抱對泣）

妹星

姐姐，姐姐，你安心去罷！我三年後來找你們……

人

（感傷狀）天上一刻，地下千年，三年之後你找得到的是我們的墳墓罷了……

巡星乙

不要這樣囉哩囉嗦，快滾蛋罷！

姐星

妹妹……再會罷……

妹星 姐姐……我的心！我的心……

姐星 不要那麼感傷呀！你以後可以天天在桃花下唱思凡的歌了……

巡星甲（同情地）是呀。而桃花本是你的運命；花瓣落下來了，你就拾起它來拭乾你的淚痕罷。

妹星（轉悲爲喜）姐姐！你安心去罷！我不傷情了，我不傷情了！三年之後我你們不到，新的人還是可愛罷……姐姐，我們最後來唱個思凡歌，唱個思凡歌作別罷，合唱起來罷！

（姐星妹星和唱）

這蒼茫渺漠的天上。
看！看！看幽思的星兒，
空懸着愛的燦爛，
悵望永刼的流光消散！

地上熱和熱，雖地上骯髒，
人間愛與愛，雖人間受難。
墜落罷，墜落地上人間，
管牠足下有急水驚灘！

妹星

姐姐，再會罷！（和巡星甲、乙悠暢地隱入雲塊裏。）

人

我們去罷！讓她找新的人去，我們先回轉老的地上來栽花種菜！（俯視下界）看啦！太平洋上的戰艦螞蟻似地在浮遊哦！哦！聽啦，炮聲響了……

姐星

（俯視下界）哦！血色的旗高懸着……啊！西方恐怖的吶喊！東方苦悶的呻吟……

人

是呀！我們快下去罷！是我們的時候了，是我們的時候了！（慢慢地浮下）

——幕——

1928，2，18。

心曲

景：
　月缺十分之一二，明亮亮地高懸樹林上。樹林間錯闌着一所草舍，陰影處處。是個晚秋的月夜。
　旅人徬徨於草坪中，俯仰徘徊，不知所之，斷斷續續地獨白。

還到底是什麼意思？
好像迷魑喑魅纏繞我身，
任跑總跑不出這黑深深幽亮亮的森林！
還到底是個什麼所在哦？
我是從那兒來的？
從陰影裏借月光兒來的麼？

銀青色的鬼火引我入暗綠場中來的麼？
或者是想捕夜螢來的？
不，不，我沒有看見夜螢的道理。
夜螢在何處飛？
看見夜螢在何處飛麼？
天氣這樣冷，
草尖上有的是晶瑩的露珠……
哦！想採着露珠編領環來的麼？
那又是沒有的事！
露珠採集得來？
（手拈草尖上的露珠）
一拈就融化的……

啊！對了，對了！
我是從一個大山爬過來的。
山雖不高，眞是難爬呀！
路又狹小崎嶇，
那裏，簡直是沒有路可走的呢！
什麼怪草稜木，
還兒一叢，那兒一堆；
什麼石頭砂礫，
還兒一點，那兒一塊：
錯錯雜雜，簡直是沒有路頭可走的呢。
累得我爬攀半天，

記憶之都

才算是過了山了……
到底是什麼的一座山也不知道。
爲什麼鳥聲也沒有聽過，
小瀧幽泉的音樂也沒有呢？
敢是一座不生泉不棲鳥的枯山？
不，或者是我耳朵聾了的……
（側耳聽什麼似的）
那裏話！我的耳朵要比白兔的還靈。
那不是深蟄在草根中的小蟲鳴麼聽啦……
（又側耳細聽）
啊！眞是，小蟲在土中鳴呢！

46

不知道牠鳴什麼，
不知道牠曉得現在是夜間不……
到底怎麼就跑進這森林中來的喲！
跑得進，總是跑不出……
哦！不錯，我過了那一重山，
又涉過了一條寒溪，
走透了一所愁悶暗淡的平原，
才不知不覺地穿進了這森林中來，
一進來天就黑了的……
啊！兩腿疲乏起來了！
今天眞走得不小呀！

不知有什麼地方可以歇息歇息沒有？

（周顧）

那個陰影裏好像有個石頭可以坐一坐呢……

不，不非走不可！

非快一點找一條路出去不可！

在這森林中叫露水凍死不成……

但要如何走呢……

哦！小蟲總是不斷地鳴，

不知道牠可曉得這森林的出口……

啊！路又認不得，黑暗暗地……

脚又這麼酸痛，受着風寒似的……

身體這樣疲乏，啊！假使有一張天幕……
那裏，無論如何是要尋着路徑出去的……
是，就使閉着開不得的倦眼，
結局也是要走的哦！
但向何方走呢……
問草根下的小蟲麼？
（側耳聽）
哦！小蟲怎麼就不鳴了，生着喉癧麼？
啊！眞冷！這森林好像凍殭了的墳墓，
沉靜寂滅得可怕……
（仰頭看月）

記憶之都

哦！月亮越發昇高了……

爲什麽會缺了一點？

好像日間被熱烈的彩霞呑蝕了似地……

爲什麼那樣嚴寒冷酷得可怕？

像是嫦娥感着風寒病的樣子……

啊！眞是有隻玉兎在裏面搗藥似的，搗藥，

爲着要醫治受寒的病嫦娥……

眞是又好像有桂花樹在裏面婆娑似地呀！

哦！桂葉零零落落飛墜下來的樣子……

奇怪，有桂花香呢！

何來的桂花香哦……

50

心曲

（垂頭默想，若有所憶。沉靜，
有頃，歎聲發自陰影中。）

惆悵迷離的旅人！
爲何着白你的臉像水晶？
許是秋露灑你飄泊的青絲冷，
月光無慚地親復親？

惆悵迷離的旅人！
爲何惻惻徘徊不進？
駐足銀綠陰中淸聽，

記憶之都

哀哀怨怨的遠潮逐風聲？

惆悵迷離的旅人！
何所憶？何所尋？
許是淒冷的月香來探你心？
許是幽沉的馥郁叫你亡靈？

哦！
惆悵迷離的旅人！
是回頭的海嘯望你奔騰！
快乘着無形有色的夜光飛去，
莫使朽屍浮起白魄深沉！

52

旅人

哦呀，那是什麼聲音？

是誰在深森裏唱歌呢？

是什麼意思呢？

那是什麼宮商角徵羽呢！

聲音

我呀，迷途的旅人。

旅人

你是誰？是鬼還是人？

你不就是那半魚半人的海神妖女 Siren 麼？

想用你的清歌麗曲迷惑我的麼?
不,不,這裏不是意大利的海島,
我又不是生長在波浪中的船員;
這是一所不可思議的森林,
而我是個跋涉山水的徒步旅行者……
哦!想你就是纏繞我的迷魑暗魅罷!
迷魑暗魅,出來!
出來我面前顯你的魔光妖氣罷!
我將採取招搖山的迷穀佩在我腰間,
那麼,任你有如何的迷人魔法,
我也是不怕的,

可以不慌不忙尋出一條大路給你瞧的
出來，出來罷，你惑我的迷魑暗魅！

聲音

哦！迷途的旅人！
招搖山離此遠着呢！
並且我也不是什麽惑你的迷魑暗魅，
何爲要憤慨到這步田地？

旅人

那麽，你是什麽山狐野鬼了！
好，憑你是什麽，生得如何怪醜可怕，
出來罷，出來在我面前說罷！

我是不怕的，你曉得麼，
我膽子是借着幽靈的精氣結成的？

聲音

不，我不出去。

旅人

爲什麼不出來？你怕我瞧麼？
我又不是亞弗利加沙漠中的怪物 Basilisk。
一睨就可以倒壞了你的；
你到底是誰呢？

聲音

我麼，我是森林中的綠陰精呢。

我不是生得醜，又何嘗是怕你看。
你曉得你們人類的眼睛，
只看得人類的形象，
就我站在你的眼簾下，
你也是看不見的喲！
你們的瞳子眸只攝得淺現的肉人形，
你們的耳朶只聽得幾寸遠！
你曉得我和你的中間，
只可放置三寸長的菊花瓣哦！

旅人

咄，你曉得人間也有古怪的千里眼麼？

記憶之都

你綠陰精懂得什麼！
你嚕囌唱什麼歌來？
是爲誰唱來的歌？

聲音

還幸你會聽到我的聲韻……
嚕囌麽，我歌麽？
哦！迷離的旅人，
是爲着你那樣蒼白可愛。

旅人

撒謊！我身邊雖被寒冷蒼白的月色包圍着，
我却是紅熱不堪的喲！

我那裏蒼白來!

聲音

那也未可定……

且問你爲什麽儘迷離在此,

好像在做幻夢似地?

旅人

等我想想看……

聲音

你是叫凄風苦雨趕入這森林中來的,

是避霜雪來的呢。

旅人

是遭難的小蝶從蜘蛛網中逃出來的。

聲音

這清澄的天空中那有蜘蛛網來；
你是迷在這森林中作旋迴的舞蹈呢。

旅人

旋迴的舞蹈還未曾學得，
我是無心追尋什麼似的……

聲音

哦！
惆悵迷離的旅人！
是回頭的海嘯望你奔騰而來！
快乘着無形的夜光飛去罷！

旅人

可又來！要飛也沒有兩翅……
又是什麼回頭的海嘯喲？
這附近只有平坦坦的野原。

聲音

還記得我是從一片暗淡的野原來的。

旅人

森林之東平原也未可定，
森林之西曉得不是風浪險惡的大海？

聲音

但無端也生不得海嘯。

你不懂得海嘯麼？
火山爆發後有時會起滔天的大海嘯呢。
回頭的海嘯時要更怒濤澎湃得可怕呢。

旅人

可是不見得有什麼火山爆發了的。

聲音

在你背後不是灰粉熔岩積一大堆麼？

旅人

不，我只記得爬過一座不棲鳥不生泉的枯山。

聲音

那也未可定，總之你快走罷，

莫叫回津漂掠而去，浮起死屍來。

旅人

那裏來的回津？我只聞的月桂香，
我將在這森林中吸取月桂香，
等待旭日東昇。

聲音

快尋着路徑逃出去罷！
借着無形有色的夜光飛去罷！

旅人

不，我將張着虛無的天幕，
架着幻想的錦牀，

記憶之都

安息我疲困的體魄，
做我微緲的冷夢……
哦！你看遍地的綠草都凝着點點的露珠，
映着月色那樣閃閃清麗的可愛……
我將在那叢露珠草邊張我的天幕……

聲音
哦！旅人，快尋着路走罷！

旅人
我將在那叢細柔的露珠草中，
架我幻想的錦牀……
（揉着眼睛）

64

聲音

哦，神魂恍蕩的旅人！快尋路走罷！

旅人

我將叫我的夢魂圍繞

那叢眞珠墩似的露珠草……

（欠呻）

啊！睡下去罷……

（倦怠地倒下草地上，有頃，

從陰影裏發出嘆氣一聲，綠陰精歌。）

哦！倦倒寒光中的旅人！

記憶之都

巧小的草蟲永在你的耳邊鳴。
瞳子開時只得走；
睏，莫須醒！

嚴霜冷露夢也成，
幻想的錦被掩不了你身……
哦！倦倒寒光中的旅人，
祝你永莫醒！

（旅人靜睡在一叢草芒邊，
顏面被月光照得很着白很着白，

66

蓬亂的頭髮是銀青色的。
草叢帶着露珠閃閃輝動。
森姬從陰影裏慢慢地出來，
穿着白衣白裙，隨寒風習習地飛搖。)

森姬

哦！這才找到了呢！
到頭來叫我找着了這個草坪了……
但不知道墜在何處？
的的確確我看見墜下這草坪來的，
那像銀鞭一閃的流星。
啊：眞是美麗，想起來我眼底還會生花！

假使叫我拾得了，一定要用我千年借着月色紡就的白絹絲線穿上牠，
帶在我的頸上……
可是到底墜在何處呢？

（四顧）

哦！好一個深沉幽靜的草坪！
月色這樣好，照得滿坪好像生出脈脈的銀波，難怪那可愛的流星特意墜下這裏來。
可是奇怪，爲什麼總找不出？
連一個什麼流星影也沒有！
許是我看錯了罷？
不，的的確確是墜下這裏來的……
是這些蘆草遮住了的麼？

（四顧）

流星喲！你躲在何處瞧我？
哦！怎麼會有這樣甜美的幽香？
是什麼風吹送隔林的夜香來的麼？
是月裏嫦娥嘆息的芬芳傳下來的麼？
爲什麼會這樣幽香醉人地……
啊！香的來處好像在那裏呢。

（走近旅人倒臥處）

哦呀！怎麼會有人在這裏睡着？
三更半夜，也不怕風霜露水……
哦！這可不就是流星的化身麼？

人家說天上的仙童仙女們常會犯罪下降的。
剛才那個流星，
可不是誤摔碎了玉帝的茶杯，
從玉帝的階前下犯來的麼？
不錯，不錯，這個人恐怕就是我冒着風霜帶着月色追尋的流星了呢！

（細瞧旅人）

怎麼這樣蒼白可愛呢！
他的眉間好像鑲着銀靑色的花心，
他的兩頰好像開着兩朶憂愁的白百合……
哦！露珠點點凝綴在他蓬鬆的頭髮上。
他不會冷着麼？叫他醒過來罷……

喲！起來罷，可愛的流星！
寒風不慊地偷吻着你的白百合，
冷露貪心地一點一點結在你銀青色的花心。
醒過來罷，要受着風寒呢……

（旅人不動）

哦！不知道正在做什麼好夢！
爲什麼會睡得這樣深……
起來罷，可愛的流星！

（旅人仍不動）

怎麼總喚不醒呢？
可是夢魂迷入了深不可測的水谷花鄉？

記憶之都

喲！可愛的流星！
我唱一曲歌給你聽罷；
但是當謝禮似地你要起來哦！
唱什麼好呢？
有名的月夜曲麼，
那是要樂聖的心弦和盲少女的哀婉伴奏的；
天女散花麼，
那是要名伶婉囀美妙的脺喉和着嫦娜飛舞的衣裾聲的……
哦！還是唱今晚讌會上新調的短歌罷。
琵琶忘得帶來不要緊，我就引着清風，
和着月光的波流唱起來罷。

（偃蹇而歌）

鵝黃色的香蕉帶着黑斑點，
白磁盤中將腐爛。
處女宮內的明珠無萬無千，
粒粒墜下給誰看？

氤氳大使遞下鴛鴦牒，
索命的夜叉臨牀聽遺音；
冰心湧不出淚和血，
待旭日東昇，明月西沉！

記憶之都

喲！趁着酥胸鼓動着暖溫溫，
揭開綠衣與紅裙！
掛着悲哀的小鬼臉，
看得出這秋月也是滿面春？

喲！來來來！
情熱的繡鞋踏青苔，
說不了飽滿與倦意，
初離水的鯉魚肥，你扛我抬！

74

（旅人朦朧地坐起來）

旅人

哦！夢，夢！是什麼一回的夢喲！

森姬

這才醒過來呢！
可愛的流星，你做什麼夢來的？
我的歌聲沒有聽見麼？

旅人

我心地總不清，
到底這是夢呢還是醒？
你是什麼人？

森姬

可愛的流星，你現在醒着了的。

旅人

你爲什麽儘喚我流星？

你到底是誰呢？

那樣淸麗孃娜站在我面前發嬌聲的你是誰？

我還在做夢麽？

不錯，還夢着不醒的。

啊！怎麽會有這樣可愛的笑容：

怎麽會有這樣深祕的眼眸！

喲！站在我面前風騷可愛的你，

你到底是誰呢？
怎得只管望着我微笑？
看我失了神的夢眼麼？

森姬
可愛的流星，是我呢。
我喜歡看你怪美的鼻梁，
我喜歡看你飄泊帶露的頭髮，
喜歡看你無血色菲薄的白脣喲！

旅人
你是誰，哦！到底你是誰呢？

森姬

記憶之都

說給你聽罷，我是這森林中的姬君呢，可愛的流星。

旅人

森林中的姬君也好，
月裏奔下來的嫦娥也好，
何爲總叫我流星，你也在做夢麼？

森姬

什麼夢不夢！
我的的確確地看你從天空中落下這裏來的。
踏碎了好多清冷的露珠，
踩斷了幾許糾蔓蔓的草藤，
才叫我找到了的……

78

啊！眞是個可愛的流星！
你怎麼就會睡着了？
不怕冷麼？現在不怕冷麼？
解脫我白雲織就的外衣給你披上好麼？

旅人
多謝你什麼森林中的姬君！
我現在心潮一悸一動，
滿身熱血巡迴着，一點都不冷。
但是你看錯了的罷，
我不是從天上飛下來的，
也不是從草根中鑽出來的；

記憶之都

我是從一個確確實實的山岳爬下來，
迷入這林中，倦倒草傍的一個旅人啊！

森姬
不，你錯了的，你不要撒謊！
你怎麼謊得我呢！你確是從天上的瓊樓玉宇飛下來探我的心的。

旅人
哦！夢，夢！到底我還是在做夢！
是什麼意思喲，森林中的姬君？
夢也好，醒也好，
是天上的流星也好，
是地下的土豆也好，

80

到底你是從何處來的？
爲什麼要喚起我？

森姬

是剛才赴着讌會來的，
不，是逃席找你來的哦！

旅人

你家在何處？又赴什麼讌會來的？
在這黑沉沉鬼妖出沒的森林中也有什麼讌會？麼什麼讌會？

森姬

哦！可愛的流星，你爲什麼嘴這樣壞？
你看啦，那邊不是在讌會中，

記憶之都

遙遙遙的那邊……
哦！席散了，三三兩兩地分散了，
夜也深了的緣故……
三三兩兩，執手依肩地……
你不看見麼？

旅人

不，什麼也不看見，那邊盡是陰影。

森姬

啊！不錯，不錯，你是看不見的。
聽說人的瞳子只照得肉人形，
假如你不化身做人就好了。

82

你爲什麼要化身做人呢?
但是很可愛的一個人形,啊!

旅人

我本是人,什麼化身不化身!
你好像個在母懷中的紅嬰;
說神祕不可解的天話呢……

森姫

不,你本是流星哦!
但不要說他罷……
我的住家就在那裏呢,

(望陰影裏指着)

記憶之都

你看不見眞是沒有法子！
那是一個古井，上面有很蒼老莊嚴的柏樹像綠羅錦傘蓋着的。
那古井就是我的住家，我今晚才從裏面很冷很冷的淸泉中出來的，爲的是要赴會。
不，不，今晚好像有什麼在外邊引我，
好像有很可愛的音韻在外邊呼我似地，
所以我就出來了；自己喜歡出來的，
想追那可愛微妙的音韻的。
你曉得麼，可愛的流星，
我本來不喜離我淸寂的古井喲？
我有幾年也不赴什麼會了，
深躱在古井中，

好像多愁的寡婦怕人家看見似的。
可是今晚奇怪，是不錯今晚有一種不可思議的幽怨可愛的音韻傳達我心，
所以我就出來了；一出來就叫他們看見，拖我赴會去。但我心那裏在讌席上，
只癡心着意地探望那可愛的音韻。
但是再聽也聽不出了，
不知牠順着什麽風飄飄消逝何方去了。
我心裏是多難過呀！
但是好，我偶然抬頭一望，
眼角忽看見一閃的銀光——流星，
就是你，哦！可愛的流星，
從那縹緲虛無的天空中墜下地來了，

墜下這草坪上來了，
啊！那是美死了的一閃，有如何的可愛喲！
所以我就暗地裏逃席出來，
暗地裏尋訪你來了的。
我感謝那一縷誘我幽怨的音韻！
到頭來被我找到了，可愛的流星喲！

（捫旅人的頭髮）

旅人
森林中的姬君，我現在醒着，你却在做夢！
我不是流星，不是那麽可愛的流星。
叫你這樣的撫捫我，

我心膽都會惡寒起來的！
不要觸着我罷……
（輕拂下森姬手，站起身來。）

森姬
還是那裏來的話！
我是千萬年不睡的，那裏有夢做呢！

旅人
不然，就是我夢還未十分醒，
帶着夢中氣味的耳朵，
聽不出你好像做夢的囈語的意味來！

森姬

記憶之都

哦！可不是，你剛才做什麼夢來的？
爲什麼那樣熟睡？說給我聽罷，可愛的流星。

旅人

我雖不是什麼可愛的流星，
但爲着森林中的姬君你，
爲着這樣顧愛我的森姬你，美，
什麼也可以聽你的。
可是要如何說法呢？
啊！眞是個怪可怕而有趣的夢！

森姬

你快說罷！

88

旅人

要如何說法呢?
當做報答你喚醒我的歌曲,
我也將牠譜成個調子給你聽罷。
可是隱約大略,要說淸就說到月沉……
哦!你看那月亮!

（指月）

月裏的嫦娥好像掩着面哭泣的樣子……
你聽來罷!

懸樑自縊的美女有人抱,

記憶之都

大眼睛，明像黑瑪瑙……
想捫她的桃花臉，
羞澀給我捫一道：
想觸她深祕的一點心，
烏雲遮飾辭我走。
走，遠遠和她愛人歌且舞，
依依望我笑而哭……
問她何爲舞，何所哭，
她不是短袖一招掩，
說她懷中哀穢的種子有一點，
恨不即時跳出牠墜地，

悔不當初保住永遠菲菲的閟香!!

哦！可不是，那得忘記，

我好像飛落的敗絮，

飄搖搖，零丁丁，

她說的我聽不清，

身拿不定，

和她雙生的妹子乘空來抱我，

使我歡嘆的珠淚流不盡！

流不盡，不盡的流，

流成一條河水綠悠悠，

悠悠河水起微波，

記憶之都

微波低低愁訴莫時休，
聲聲透入我空洞的肺腑，
問我嘗到妹子的心血否……
啊呀呀！一似中着癲癇病，
可不是我手抱着血淋淋的一顆心，
背負着赤裸裸的肉人形，
噹得一聲，
跳下淚泉中沐浴浮泳，
水淹到咽喉，聽你歌唱，
才從惡夢中驚叫而醒！

92

（森姬俯首深思狀）

旅人

森林中的姬君，聽見了麼，
這就是我的短夢一場？
哦呀，你怎麼把頭垂下去？
你聽慣了麼？
請返你清寂的舊家，
我也要再睡一下。
等一刻恐怕天就亮了罷。
那時我就可以尋着路徑，
出這不可思議迷住我的深林。

記憶之都

森姬
（提起神來）
不，不，我那裏就會聽慣了呢！
你美雅的清歌使我神靈恍蕩了的！
但不知怎地總覺得心痛，
你清婉的歌聲浪中，
好像有些痛心的蓮子在旋轉似的……

旅人
有那樣事麼？我只覺得頭暈鼻子酸呢。

森姬
哦！那一抑一揚的調子，

不是刺痛我心了的，
是觸動我心的喲！
我心跳得利害，你捫捫看。
旅人
我的手指是幾年沒有洗的了，
不敢觸你雪白的胸襟。
你讓我再睡一下子罷。
森姬
我不讓你睡的！你那樣眼倦麼？
你看啦，這好生怪美的月亮！
她缺了一兩分，

記憶之都

好像叫夜魔吻壞了似地。
哦！我是好久好久沒有看到月亮了喲！
我是好久好久深躲在
墳墓似的清寂的古井中的喲！
但是我喜歡的，我本是喜歡死一樣的清寂。
可是現在變了，我看這月亮，
就回憶起我孩提時許多許多
唱過了的月夜歌來。
眞的呢，有一回當月姐兒滿面圓的時候，
我坐在一塊石頭上唱起月宮裏的嫦娥心來，
正唱得醉迷迷地，被夜梟一聲嚇住了！

96

還有一回一面任月姐的銀梳梳頭髮，
一面洗足在清流中唱我的
搖搖不定的水中影時，
忽就被一陣無名的暴雨驚跑了……
啊！還有許多許多，
我想起來就心微痛而慌，
身輕好像遠征的燕子，浮浮地想飛動了！
眞的，脇下好像生出翩翩兩葉翼，
總想像黃鶯狂飛一飛看……

（抬頭望月）

可是這月亮爲什麽總有點冷得可怕的樣子，

好像在冰河上戰慄着的小兎兒……

旅人

不知你在說些什麽古代哀話?
冷當然是冷的,現在不是晚秋了麽。

森姬

可不是麽,怪不得這森林中
沒有根氣的草木都枝葉疏零起來了!
眞覺得四圍有點冷;但怪呀,
好像火燒似地,我心總覺得紅熱不堪,
裏面有火山要爆發了似的!
可愛的流星,心裏頭會有沒有火山?

旅人

有什麼火山，那是血流呢。

森姬

哦！血，血色是青的還是白的？

旅人

血是像落日那般紅得可怕喲，
那裏會青會白！

森姬

我不信，假如血是紅的，
你的顏色爲什麼會蒼白得那麼可愛？
血色倒是蒼白的了……

旅人

不，我的血管滲入一些浪花飛沫，
所以蒼白了的。
並且叫這月光反映着……
看啦，清冷的月亮，
（指月）
那不是更蒼白得可怕麼？
（身顫）
吋哼！眞是有點冷！

森姬

哦，這樣，紅也好，蒼白也好；

你冷麼，我解下身上的圍巾給你好麼？

旅人

謝謝你！

但冷好像從骨髓中生出來的，

你的圍巾恐怕圍不着罷。

森姬

你眞覺得骨冷麼？我却覺得心熱；

是血在流動麼，你說的？

血爲什麼會流動？

啊！我心總覺得跳得利害！

旅人

不錯，血是在流動的。
血本是流動的東西。
流動是想休息的。
你坐下停一息罷，
我替你選一個柔軟的草地……
森姬
不，不，我並不想坐，我想飛的！
你眞覺得背冷麼？你血不流麼？
你爲什麼血會不流？
哦！和我飛起來吧！
恐怕一飛動就感得暖和呢。

旅人
我又沒有白孔雀輕匀的羽毛，
怎能够和你飛？
並且我是從很遠很遠的地方走來的，
走了幾天，疲乏得了不得，
總想再睡一睡，你讓我睡罷。

森姬
不然，就在這月下和我跳個舞罷。
總不讓你睡，睡是最可怕的，
夜叉的鐵鍊加在你頸上，你都不會曉得哦！

旅人

不能，我兩脚叫勞苦生上瘡瘢來了的，
不能和你跳舞。什麼夜叉？
夜叉的鐵鎖扣不住我細瘦的黃頸……

森姬

哦！好一個可愛而頑固的流星喲！
你頭髮好像生出青苔來了呢！

旅人

那是錯了的，什麼流星又來了！
說頑固却是頑固的；
我頭上的青苔是岩石上生長出來的呀……

（夜鳥凄切地長啼幾聲）

森姬
哦！那是什麼聲音哦！
（夜鳥又啼兩三聲）
旅人
是夜鳥睡醒了啼呢。
森姬
爲什麼啼？
旅人
恐怕是因爲天要亮了罷。
森姬
哦！天雞懶睡着的兩翅，已擊撲響了麼？

（夜鳥又長啼幾聲）

森姬

啊！怪可怕的聲音！

好像聲聲叫去了我的心魂！

旅人

啊！好哀婉清澈可聽！

好像我倦睡的魂魄都被牠叫醒了。

森姬

好像叫去了我的心魂呢！

旅人

睡蓮的葉葉浮動了，天將黎明了！

森姬
我的心血流不動了！不不，失了心了！
血紅的珊瑚礁崩壞了……
啊！冷得厲害！
（返身欲走）
旅人
森林中的姬君你將何往？
森姬
回我的住家去。
旅人
你不想跳舞了麽？

森姬

我心要冰凍了的，不不，我無心了的……

血紅的珊瑚礁崩壞了……

旅人

哦！森林中的姬君，請在這裏，

請和我在這裏！

你不想和我跳舞了麼？我和你來……

森姬

哦！可愛的流星！

我滿身都冷得震顫起來，我要快回家去，

用清冽的幽泉溫我體軀！

那裏話，我已沒有體魄了的……

請了，可愛的流星，！啊可愛的流星！

（兩手掩着面急速地走入陰影中）

旅人

（茫若有所失）

這是夢麽，幻麽？

好一位不可思議的森姬喲！

翩翩躚躚一似花蝴蝶飛來，

隱隱約約一似燈影消逝呢！

爲着什麽，是爲着什麽哦……

哦！她好像帶了我的靈魂去了的！

我夢餘的殘魄好像
全部跟她的倩影飛去了……
那裏，我青色的心眼在我背後閃閃發光，
誰能夠暗地裏近着我身，
誰能夠將我的魂魄攝去？
我青色的心眼要比
野狐獵犬的眼睛還銳利喲！
哦！可不是麼，我什麼都看得見；
看啦，那不是一位迷兒在草地上麽？
金黃色的斜陽照得他不敢抬起頭來！
不錯，那裏是清澈的月夜，

是一個炎夏的黃昏時候呢！
（月色變作落日樣起來）
那迷兒不是坐在黃昏裏頭哭泣麼……
喲！迷兒，抬起頭來罷！
四圍的樹林好茂盛，登樹去來罷，
登上樹梢頭偷鳥巢中的白卵去來罷……
哦！迷兒，轉過頭來罷！
落日大又紅，在你背後面，
看一看這好景罷！
只管垂着頭哭什麼？有什麼傷心麼？
想起小孩時在母懷中

喫奶奶的故事來了麼……

哦！聽啦，那是什麽聲音……

（旅人夢遊似地入了失神狀態；

小羊哀哀地遠方鳴。）

咪——咪——

哦！那不是小羊鳴麼……

咪——咪——

哦！聽啦，那不是失羣的小羊鳴麼……

咪——咪——

哦！尋歸路的小羊呢，那麽哀怨……

咪——咪——

哦！風這麼大，草木都驚動了……
　　咪——咪——
哦！風這麼大，天都昏了……
　　咪——咪——
哦！風這麼大，小羊喲！
你迷在何處喲？
你來罷，我帶你回家去罷……
啊！風漸息了，日也將沒了，
小羊的哀鳴也漸微弱了……
哦！迷兒也不見了，天轉了……
　　（返成月夜的清寂，

記憶之都

（旅人醒悟過來似的。）
這是什麼意思？這不是夢麼？
月亮這樣皎潔，什麼黃昏來！
什麼迷兒來，有的是姍姍的斑彪！
哦！我的眼睛花亂了！
我的耳朵狂背了！
是是，我的魂魄都被
不可思議的森姬帶走了的！
我那有青色的心眼來！
我只有淡黃色的睫毛呢……
（望着陰影呼喚）

曲　　心

森林中的姬君喲！回轉來，請回轉來！
你為什麽捨我而去？
你喚轉我的夢魂，
是要使他纏綿在這寂滅的迷林裏的麽？
森林中的姬君，請回轉來！
我將像暗房中搬出來的病楊柳，
永望着春時節的太陽光似的你生長，
直到你紫光波敵不過蕭颯的秋風時，
我就葉落枝折地跟你去；
我將像從水中被人家救起來的小孩子，
永躲在你懷中，

叫你慈惠愛惜的溫情庇護我……
哦！森林中的姬君
回來喲，回來摟住我喲！回來給我喲！
莫使我在這寒風裏獨自徬徨迷惑喲！
你叫我醒來，為何要使我像星明亮的
眼瞳子儘看天上朦朧的銀河影呢！
啊！好冷啊！
處處盡是嚴霜冷露霏霏地……
我虛無的天幕，
叫暗中襲來的狂風吹到天外去了！
我幻想的錦床繡被，

叫背地裏氾濫的洪水漂流失了！
我將逃避何所呢？
尋森姬去罷……
穿着這笨重的銀鞋子怎跑得動呢！
不，我穿的是水月色輕妙的銀紗靴喲，
尋去罷，追去罷！
哦！我的森姬喲，你在那裏？
你不被魔鬼刼去了麼？
哦！我的森姬……
（望森姬去處追往，
走沒有幾步就突然停住脚跟，

記憶之都

若有所聽。歌聲幽發。）

瘋狂奔放的旅人！
莫追尋！
無踪無跡，
無聲無形，
黑暗中只有萬千亡靈，
空遺下虛幻重疊的足印，
竟有誰尋到心上的頭髮一根……
啊呀呀，聽！
夜鳥啼聲，

118

是被月娘的嘆息驚醒；
還遠着呢，要近黎明，
哦，瘋狂奔放的旅人！

旅人
誰呢？又是森林中的綠陰精麼？
好，出來看我罷！
爲什麼你總畏首畏尾，
不敢伸頭露面？
是不是怕我看出你的假面來？
不錯，你是掛着理智的假面的，

記憶之都

你說的話都是欺人的！
你說什麼火山，火山在何處？
你說什麼海嘯，
這森林中却只有沉默的銀波光！
你的辭令沒有力量喲！
你雖有天花亂墜的章句排，
我總是月波清流洗耳朵的……
聲音
瘋狂的旅人，且駐足看看罷！
試捫你的耳朵何在？
不是被如刀的冷風括斷了麼？

120

旅人

（捫耳朵）

我的耳朶比先前更靈敏地長在兩鬢邊，

織女在銀河畔的啜泣聲都聽得！

聲音

那也未可定。試捫你的心看，

那不是冰凍了的麼？

旅人

（捫胸口）

情熱的赤血正包圍着我心，

雖太陽的强光，沒有我的心熱呢！

聲音

那也未可定。試捫你的頭看，
那不是叫紛亂的烈火燒毀了麼？

旅人

（捫着頭）

我的頭髮有如霜露冷，
就你最微妙的詭辯我也辨得清哦！
塞你的口滅你的脣！
莫使你空閒的口舌浪費了我寶貴的時光罷！

（沉靜片刻）

這才氣息聲閉了，

好一個擾亂我的綠陰精，啲！
但牠舌頭也有點青，
月光還是那樣明亮亮地，
夜色眞還是深着，沒有那樣容易就黎明。
不看那北斗七星還高懸着望我……
啊！那七星定曉得森姬的去處，
當然是曉得，牠們座位那麼高，
又那樣明亮亮地一轉瞬都沒有，
儘守望着地下一切的事物。
恐怕螞蟻在草根下的幽會。
她們都看得很明白呢。

記憶之都

啊！假使她們能夠告訴我就好了！
到底森姬跑到那兒去了呢？
什麽松下的古井麽？
那我是看不見的。
我只看得暗淡淡的夜光連天，
沒有絲毫的飛塵野馬在空中浮動的，
那有什麽古井影來……
到底到什麽地方去了呢？
不是被黑暗中的魔鬼吞殺了的？
不是被陰影裏的小妖拐了去？
還是追尋去罷？還是追尋去，

無論闇中有若干的亡靈阻止我，
途中有幾何虛幻的足印纏糾我……
是，還是追尋去！
無論她有形無形，
有形我用手捉，
無形我用聲捕……
不錯，追，追轉我的心魂回來罷！
我兩脚穿的還是水月色輕妙的白靴，
追去罷……

（舉足難動）

哦呀！我兩腿怎麼就痲痹起來了！

啊，啊！我走不動了……
　聲音
痲痺了的旅人，聽我歌來罷！
明滅的兄弟們，和我合唱起來罷！
（薄雲飛走，樹影浮動，
像有無千無萬的腔喉合唱着似的；
旅人如醉如顚，湊着歌聲搖舞擺動。）
　望黎明的五彩豔麗，
掩拂長袖吹我淸笛……
初離巢的燕子飛入我懷來，

放下溫熱的白脂一滴，
凝在我曉風吹冷了的衣裙。
待我歌停細看時，
燕子已飛入煙霧裏！
噯喲喂~~~

露水清洗不脫白脂的痕跡，
白脂終染透我散漫的心底。
要拔取白毛來粉飾，
往往還還浮搖四處尋，
但看變幻的雲霞迎面立，

記憶之都

不見燕子影！
嗳喲喂～～～

太陽出我生，
太陽沒我歸太陰：
明明滅滅，
一任燕子擾我胸襟！
嗳喲喂～～～

田圃中的小麥黃，
春來秋往，

128

燕子飛去不復返！
噯喲喂～～～
待明年重來，
知是舊日情懷!?
噯喲喂～～～
天傾地陷星辰衰，
噯喲喂～～～
衰頹，噯喲喂～～～

旅人

是什麼迷歌？又是綠陰精麼？
啊！綠陰精喲！你從黑暗中窺笑我麼？
你從黑暗中放出黑大黑大的怪眼……
哦！寒美嬋娟的月姐姐喲！
請替我趕開這些惡鬼！
森林中的姬君喲！請回轉來給我！
我走不動了，兩脚這樣酸痛，
心這樣痲痺……

（頹然坐下。森姬出，穿着竹青衣裙，
頭髮散披着，冷靜嚴肅樣。）

森姬
流星，你叫出我的亡靈做什麼？
你垂頭坐着想什麼？
俯首窺探地心還有沒有熱熔熔的五金？
旅人
（喜躍地站起來）
哦！我的森姬，你又來了！
到頭又回來了，我謝你，感謝你！
有許多許多的大魔小妖在陰影裏取笑我！
但好了，你又回來了！
你爲什麼能就回來呢？你到那兒去了的？

我當做你已叫暗中的魍魅誘拐去了的，
被魔鬼吞殺了的或是。

森姬

沒有的事。什麼魔鬼也不能吞殺我。
你當做我脚站的是
幾千萬年來凝固了的地球？
你當做我的聲音是
從靈妙的聲官發出來的？
沒有的事！
我脚下是空間。
頭上是空間，

心中是空間，
三重的虛無包圍着我的。
什麽魔鬼能够吞殺我喲！
我原是無影無形無聲無息的。
就剛才的夜鳥聲聲，
也只够使我虛無的心潮起一點微波罷了！

旅人

不，不，你的兩脚比鵲鴒的還細而美；
你的聲音比深林中的幽泉還清冽；
你的心要比春天的芭蕉心還甜蜜；
而滿天燦爛的星斗，

在你烏雲似的頭髮上輝耀喲！
我看得你，看得森林中的美姬你！
你那得無影無形！
你姍姍的細影投在我心鏡上，
你無形之形瀰漫在全宇宙間……

森姬

任你說罷——你曉得我何爲又來麼？

旅人

爲着要你的流星來的罷。
但不要找牠，你曉得牠一流到何方去的？

森姬

是爲着古井中的清泉暖不得我冰寒的心，
靜寂趕不開我虛幻的影子，
而萬重的黑帷遮不住你清高的呼喚聲，
所以我又來了，
帶了一些東西送你來了的。

旅人

哦！你帶什麼來送我？
我的行李在途中都失掉了，
連一頂血紅的朱砂帽也被風吹去了！
現在赤光光的我，
只有這寒娟的月姐跟隨着……

你帶什麼送我呢？

森姬

來時在途中採取月下的白玫瑰一朵，
墓邊的紅薔薇一枝。

（從懷中拿出花來）

看喲，這就是要送你的……

旅人

啊！謝你，謝謝你！

（接花）

在這嚴冷的秋夜中，
爲什麼有這樣鮮美的花兒？

（聞花）
眞是香啊！
　森姬
何時何處沒有鮮豔的花草，
只要自家的眼綠心香。
　旅人
（聞花）
眞是香呀！散漫的香波。
好像流入我的心中去了；
我腹中的迷雛好像被一陣陣的香雨灑醒了！
啊！我不知要用什麼返贈你好……

森姬

那要你還禮！

禮只能送，愛是不能酬的。

旅人

眞是，我不知用什麼報答你好！

這近邊又沒有什麼花叫我採取，

有的是蕪雜的荒蘆……

摘取月宮中的桂花送你麼，

我非嫦娥的侍女無從偷取！

盜來西天的仙桃麼，

不會學孫行者的翻筋斗！

哦！將什麼送你呢？
我自家心田上的薔薇花麼？
是，我有粉紅豔香的薔薇花在我心田上，
可是現在都萎靡衰落了……
哦！我送你花露水！是是，送你花露水！
我懷中藏着一個天上的綠泥燒就的玉壺，
壺中充溢着萬年不消的花露水……
我心田上的紅薔薇用不得他，
所以都萎敗了。
是，我將傾壺盡量地送給你，
送給你那可愛小小的兩葉櫻花瓣！

（往抱森姬，吻之）

森姬

啊！我唇上好像受了火傷！

旅人

但我好像月光吻着淸冷的夜露……

森姬

你嘴唇紅得厲害，
好像剛才送給你的紅玫瑰瓣……

旅人

那裏，我嘴唇蒼白了的，
好像初三四掛在寒林上的月眉，

冰冷冷地……

森姬

不，紅得可怕，紅得可愛！

（緊抱旅人，接吻。）

旅人

哦！你給我的白玫瑰紅薔薇花，
片片散墜在你胸前了！
爲的是我忘記收藏起來，
把她們抱傷了……

（解抱擁）

森姬

記憶之都

怪呀！你屑上好像安放着冷藏庫，
我好像飲着紅色的葡萄冰……

旅人

可憐的玫瑰花！
你看片片散落了……

森姬

管牠做什麽！花本是要落的……

旅人

但是香得醉人呀！
這殘零的幾片更香得可愛了……

（深深地聞着）

142

森姬
你看，叫你的熱氣噓哈一下，
更零落了幾瓣了！
可憐她們似地丟她們在露中自在去罷！
旅人
不，我將藏她們起來，
用我玉壺中的花露水養她們，
什麼時候會再蘇生起來罷……
（收入懷中）
森姬
那也說不定——你不覺得脚酸麼？

旅人
眞有點疲乏了！我本是疲乏了的。

森姬
坐一坐麼？

旅人
沒有一個坐所。

森姬
隨便草地上坐一坐罷。

旅人
露水不冷透全身麼？

森姬

鋪下你心上的絳紗罷。

旅人

我心上那有什麼絳紗，
只有忽冷忽熱的血盆……

森姬

那麼，鋪下我的竹青衣帕罷。

旅人

竹青衣帕要比清露還冷……

森姬

你那樣怕冷麼？
你剛才不是風露中夢過來的？

旅人

可不是麽，我那裏怕冷！

這森林作羅帳，月色作錦被，

而幽暗襲人骨髓的風露作繡枕時，

我恨不得和個美人抱沉入

深不可量遠不可測神祕的夜光中，

任酷冷的風霜雨露漂灑。

森姬

哦！你嘴脣又漸漸紅熱起來了似的，

想親一親……

旅人

你親罷，嘴唇是我們所有的……

（互相輕輕接下吻）

森姬

哦！冰冷冷地，

你嘴唇好像從冰琪琳中拿出來的，

那裏那裏，我好像親着你的鼻梁似的，

你沒有嘴唇了的……

旅人

而我好像親着你的眼簾似地喲！

森姬

難怪我的頭髮黑的，你青的。

旅人
那裏，你頭髮是半邊黑的，
半邊青的，哦！還有點蕉黃色！
森姬
啊！不知怎地，我心有點酸痛起來了！
好像淚水要滴下來似的……
旅人
無聲無息無形的你也有淚麼？
森姬
哦！好像滴滴墜下肚子裏去了……
旅人

啊！有淚作怪的你是人還是這
森林中的靈精呢？

森姬

我那裏曉得！我只覺得脚站的不是地，
脚下瀰漫着虛空的雲霧。
不知現在酸痛的是心不是心，
也不知什麼才叫做心！
什麼叫做心呢，可愛的流星？

旅人

可又來！千萬遍都說過了，
我那裏是什麼流星不流星，

不過是個過路的旅人罷了。

森姬

你眞不是我追尋着的流星麼?

難怪你總有點人間的香氣!

旅人

那是當然的，我本是人間的人，

腥羶的赤血生不出月下的夜香……

森姬

啊！那麼你眞不是我的流星了！

你爲什麼來呢?

想在這幽沉的森林中歇你走乏了的兩脚?

想在這冷霧中作冷夢？
是，你剛才做了個夢，
你不是做了個夢麼？

旅人

可不是麼，我眞做了個夢呀！
不知爲什麼就在這兒做了個夢……
啊！（放聲高歌）

懸樑自縊的美女有人抱，
大眼睛，明像黑瑪瑙……
想捫她的桃花臉，
羞澀給我捫一道；

想觸她深祕的一點心，
烏雲遮飾辭我走。
走，遠遠和她愛人歌且舞，
依依望我笑而哭……

森姬

啊！嬌羞怜悧的妹子令人愛……

旅人

歌且舞，笑而哭，
問她何爲舞，何所哭，
她不是短袖一招掩，
說她懷中哀穢的種子有一點，

恨不即時跳出牠墜地，
悔不當初保住永遠菲菲的閟香……
森姬
好一位可愛可憐的妹子呀！
旅人
哦！可不是，那得忘記，
我好像飛落的敗絮，
飄搖搖，零丁丁，
她說的我聽不淸，
身拿不定，
和她雙生的妹子乘空來抱我，

使我歡嘆的淚珠流不盡……
（森姬低頭嘆息，）
流不盡，不盡地流，
流成一條河水綠悠悠；
悠悠河水起微波，
微波低低愁訴莫時休，
聲聲透入我空洞的肺腑，
問我嘗到妹子的心血否……

森姬
你嘗到了未？啊！我的心……

旅人

啊呀呀！一似中着瘋癲病，
可不是我手抱着血淋淋的一顆心，
背負着赤裸裸的肉人形，
喑得一聲，
跳下淚泉中沐浴浮泳，
水淹到咽喉，聽你歌唱，
才從惡夢中驚叫而醒！
森林中的美姬，我是夢過來的旅人啊！

森姬

哦！倒是個糊塗混沌的旅行者……
我的流星，我的流星！

旅人
你的流星到底是怎麼樣的?
森姬
我的流星似電光流火一閃的,
青談一閃就墜下這兒來的……
旅人
莫追尋罷!
那一閃就消滅在半空中的,
怎追尋得來呢?
墜下來的只是殞石啊!
森姬

啊！你果不是我追尋着的流星！
你是個腦袋生在盲腸中混沌的一個旅人罷！
你無心誘了我，我無心誤認了你，
什麽都很自然當然，
任其自然當然罷！
不不，自然當然是悲劇的，
我深恨自然當然！
所有都要矯揉造作，
不矯揉造作怎能够
在這虛無的月下歌舞呢……
不不，我恨矯揉造作！

記憶之都

我深恨裝飾！
裝飾要掩沒了純潔的心靈，
不裝飾是最裝飾最美的；
我要像瘋婦光着身赤祼祼地在街上跑，
我將用快刀割下我的心來血淋淋地……
這是那裏話！我不，我不！
我只喜歡那深藏在閨閣中過去的小金蓮，
我只愛那永不見人寺裏妙齡的尼姑……
哦！說不了，話是說不了的！
我有什麼恨，有什麼愛？
我本是無的。

心曲

什麼流星什麼星流，
我本是空空的呢！
可是旅人喲！我錯認了的流星喲！
我好像怎樣都是愛你的，我深愛了你……
　旅人
森林中的姬君，你是人是精呢？
哦！你好像那看透了地上一切的一點一滴，
什麼都不能使她迷惑，
而獨自抱着無限的悲歡，
在巖厲清冽的寒空中徘徊顧盼，
探求什麼似地的月姐姐。

不錯，你是這樣一位的月姐姐！
我呢，我夜遊病的迷童，
是蟲蛇草刺傷不到我有筋骨無血肉的體軀，
霜露雨雪冷不着我冷熱自在的魂魄，
渺渺茫茫地在
影影明明的夜光裏徬徨指畫，
畫出最無心而最有意的
一幅病山水來的夜遊病者迷童喲！
森林中的姬君，
這樣的病山水你喜歡麼？
這樣的迷童你也愛麼？

不曉得你的愛是白的是藍的還是紫色的?

森姫

我愛的微波不知合着什麼節奏的;
雖你是爛泥中的小泥鰍，就使，
雖我坐在虛無的冰橋上，
我還是愛你的，很愛你!
我很想將你一口吞下我無底的胃腸中，
很想將你的青絲一根一根地拔起來，
來剪裁我透明無色的夜衣!
可是天將黎明了，
東方將浮出淺薄的白光紅霞，

誘你久迷黑森林中的靈魂去了。
不錯，將沉的月光有好深祕美妙的夜曲也是冷的。
不能够沉醉了慌忙追逐的旅人心……

旅人

哦！森林中的美姬！
你好像從海中跳出來的妖女，
在波濤中號呼雷霆的凄風厲雨，
赤血塗滿面，
兩手捧着自己一顆愛和淚漲滿着的心，
散披黑髮在兩肩，
夢眼高抬無窮的蒼穹，

專等她的流星電光迅雷地飛投在她胸上，
使她高潮滿浪霎時間
似雪融冰消地潛滅似的！
我愛這樣這樣，我愛了你，
哦！森姬，我們愛罷！

森姬

啊！旅人，天將黎明了，
東方將浮白誘你出這寒冷的森林……
哦！看啦！

（指月）

好像久病臨終的美女似的

月娘娘漸漸沈下樹背後去了！
我無瞳子的眼眸，
要濃餤衝天的噴火山的，
看不得旭日的微光……
可愛的流星，咿呀，旅人，再會罷！

旅人
看啦，森林中的姬君！
看你身上穿些什麼？
你濃餤噴火山似的胸膛，
不是叫深山伐來的老竹綠葉
編成的古袈裟蒙住了的麼！

解你自家身上的古綠裂裂罷！

森姬

那裏，我無心的心是透明的白絹包着的，
哦！天將黎明了，再會罷！

旅人

哦！我好像夜蛾偶飛到你電燈似的身上，
只看得强烈之光，
感不着可以致我焚殺的熱燄！

森姬

哦！我不知是光的電燈還是熱的水晶……
但天黎明了，可愛的流星旅人，

快尋你的路走去罷！
我將返我淸寂的舊家；
不，淸寂的古井難守！
我將身穿白羅紗，脚踏浮雲，
像水流浪地漂我無形的屍首！
再會罷，再會罷……
啊！我心隱隱作微痛，
心傷了麼？
那裏，我本無心的，有什麼心傷！
哦呀，我眼皮下酒熱梅酸地，
是淚水生了蒸氣麼？

沒有的話！
我無瞳子的眼眸不知道淚是何物！
但哦！好像要墜下來了呢……
（以左手承左眼）
哦！這是淚珠麼？
那裏那裏，這是綠玉髓呢！
好透明清翠得可愛呀！
啊！好像有什麼在裏面似的，
可愛的流星，你來看罷，
好像什麼在裏面浮動的樣子……
旅人

（湊近森姬，看她的掌心。）

可不是麼，什麼在裏頭浮游的樣子……
哦！森林中的姬君！
心呢，是鴿子的小心肝在裏頭跳的呢！

森姬

沒有的話……
哦！這邊又要墜下來了……

（以右手承右眼）

裏面又是什麼？
在我綠玉髓似的淚珠中？

旅人

哦！看得出，我看得出！
標緲的小仙姑在裏頭打鞦韆的……
好一位可愛的仙姑呀！

森姬

眞的？

（看自己的手心）

我迷濛的眼睛看不出什麼來，
只聞得血腥……
你喜歡她麼，給你罷……

（無限悽愴）

旅人

（接受森姬的淚珠）

這到底是件什麼小寶貝？

淚珠？什麼綠玉髓麼？

或許是森姬你心中的金鋼鑽？

；（低頭深思森姬乘間消逝。）

哦！什麼都好！

小鴿子的洗心室也好，

小仙姑的舞蹈亭也好，

趕出病魔狡妖，叫她們深入膏肓，

醫我五癆七傷的滿身病罷！

森林中的姬君，許她們入我的膏肓麼？

我吞下她們好麼……
（仰看森姬不在，哦呀驚叫一聲，
兩手撥開，手中的淚珠墜地，
生出白霧陣陣。
從白霧中浮出許多美女來，
圍着旅人環環而舞。
黎明的五彩燦然照着。
森姬躲在林中歌唱，
美女羣節奏和之。）

記憶之都

無邊鴻濛的太空喲！
我已脫離了你幾千年，
雖萬物無不爲你包圍着。
無數的大星小星喲！
我已丟開你們幾千年，
雖什麼都被你們羈絆着。

羣女
什麼都被你們羈絆着……

森姬聲
我帶着日月的華冠，
穿着四時的錦衣，

172

吸收青山綠水的精靈，
攝取四季五行的情性。
我來去自由的姬君喲！
我逍遙自在的公主喲！
帝王無奈我何，
風雨不掛在我心。

羣女
風雨不掛在我心……

森姬聲
你陰險的鴟梟喲！
莫惡狠狠對我翻着火眼！

我去也，將四處遨遊。
四處探求，
求得一枝深祕的鮮紅花，
贈我的心坵！

羣女

贈我的心坵……

森姬聲

誰敢在我身邊唱歌？
哦！將拔你紅翠的羽毛，
你啘囀嫉妬的小鳥喲，
莫對我殷勤唱着戀之歌！

羣女
莫對我殷勤唱着戀之歌……

森姬聲
哦！我包過宇宙美的王孫喲！
我超脫時間愛的妃子喲！
熱潮冲不開我魂，
冰山壓不死我心！

羣女
冰山壓不死我心……

森姬聲
我無色而紅，

記憶之都

我無臭而香，
幾千年，幾萬年，
萬萬萬年！

羣女
萬萬萬年……

森姬聲
我似風而轉，
我似水而流，
千里遙，萬里悠，
萬萬里遙而悠！

羣女

萬萬里遙而悠……

森姬聲

哦！醉魄忘魂的旅人！

去了，你流星還是我流星？

五癆七傷任牠病，

一閃驚，一閃明，

去也，一閃天地心！

羣女

去也，一閃天地心……

（歌罷羣女湮沒，曉光透過薄靄，

驅馳透紅色的電子，
在旅人頭上跳躍。）

旅人

哦！去也，一閃天地心……
啊！我胸膛好像貯滿着青菓汁，
酸痛的幼芽長在鼻孔中似的，
滾滾的清淚流下來了。
哦！清淚喲！
想流出來看什麼？
想出來看送森姬麼？
你看得到麼，她的後影？

這清涼的繪圖中，
何處點綴着她血色的枝葉呢?
啊!我胸膛好像貯滿着青菓汁，
酸痛的幼芽生在鼻孔中似的……
想看什麼的清淚喲!
撲簌簌地，撲簌簌地……
（何處細妹子的歌聲）

淒涼的夜光熄滅了，
哀婉的夜烏也不啼了;
輕快的曉風吹動我的裙裾，

記憶之都

巧惠的初陽親我的豐頰,
好愉快的晨景喲!
你梳洗好了未?
我摘取鮮花送你!

沉痛的戀歌唱破了迷夢,
曦和的曙光逐開了冷風;
相映的露珠嬌滴滴,
偶語的草木笑嬉嬉。
好愉快的晨景喲!
你梳洗好了未?

180

我摘取鮮花送你！

旅人

那是誰的歌聲呢，那麼嬌脆動人地？
淸淚喲！你朦朧了我的眼眸，
但你自身却淸冽透澈，
看來罷，那是誰？
可不是幻化的森姬麼？
咿呀，那是另一個細妹子呢！
我看得眞，她蹲在路口摘花……
哦！跳起來了，

追一隻小鳥去了……

（細妹子的歌聲）

小鳥飛，飛飛飛，
想飛上雲間啄美穗。
我得追，
我得攀住鳥尾巴，
享受蒼穹的香味！

小鳥飛，飛飛飛，
想飛下田中啄麥穗。
我得追，

出　　心

我得騎在鳥背上，
嘗點人間的眞髓！

小鳥飛，須得追！
小鳥飛，只得追！
莫低迷，莫昏睡！
說什麼昨夜風霜夢？
說什麼夢中的怪妖醜鬼？
今朝不是宇宙新且美？
不是今朝宇宙美且醉？
哦！小鳥飛，只得追！

記憶之都

跟我追來呀有誰？
跟我追來呀有誰？

旅人
哦！不可思議的聲音！
很熟識的聲音……
好像在幾千年前聽過了似的，
曾在沉下海底的無人島上聽過似的……
何時何處聽過了似的哦！
喲！淸淚，快看去來！
你比水晶還透明，

快看去來，那是誰呢……

哦呀！怎麼無痕無跡！

淸淚你那兒去了呢？

你跟着她的歌聲跑了麼？

你被她舞裙的香風吹乾了麼？

（細妹子的歌聲）

小鳥飛，須得追！

小鳥飛，只得追！

跟我追來呀有誰？

跟我追來呀有誰？

旅人

那麼婉轉動人地……
在那一個星光下聽過了似的呢……
哦！打鞦韆的小仙姑！
咿啊，自縊的美少女……
你看那習習舞動的裙裾……
你看那招掩輕拂的短袖……
我還記得，我還記得

（細妹子的歌聲）

跟我追來呀有誰？

跟我追來呀有誰？

旅人

啊！她回頭一顧！
我記得，我認得！
那黑大的眼眸子，
那黑瑪瑙似的……
細妹子喲，等等我！
啊！只看得她模糊的身子了！
只看得她縹緲的影子了……
追去罷，這不是大路麼？
黎明的五彩照着，

我怎麼在大路頭迷惑了一夜……
我怎麼在這森林中做夢……
好個不可思議的森林喲！
哦！幽林！深林！
憂鬱，迷亂，哀怨的森林！
愛，死，狂瘋的森林！
再會罷……
喲！可愛的細妹子，
只看得一點點的黑影往曉霧中鑽了……
晨光會做我的引導者罷，
我慣走的腿子會追得及罷……

然而，
然而……
（向森林外奔去）

一九二四年十月中
草於東京

迷雛

人物

女性

鶯能

婉濤

麗姝

男性

柳湘

鍾琪

碧蕪

子華

記憶之都

仿山

行人及其他

時候

一九二三年晚秋的一個月明之夜。

第一幕

白堤上公園之前，滿月初昇的時候。

舞臺前面馬路，右邊路傍數株柳樹連着，從裏邊的路燈放出光線來，柳枝柳葉在黃綠光裏搖曳着；左邊路旁露出公園的屋角，從裏面也有光線射出，馬路上全體的光線左右稍強中央弱，但很明瞭。行人稀少，時有一兩個從右或左來來去去。

舞臺後面正中暗紅色的，一個木坊高聳着，數級石堦連馬路；坊後石堤，可以行人，小划子上下也從此處。有隻小划兒斜放堤下，寂寞地待客人光顧似的，但不見划船的人。木坊處的光線要比馬路弱得多，在木坊身上看得出月色掩映着。

遠景：左邊杭市的燈光點點，放出一種微茫的弱光，想沖破闇淡的夜色之壓迫似的，滿月帶點黃昧低掛空中，星點點。右邊概與中央遠山渺茫連絡着，湖光閃閃。從木坊的空隙望去，模糊可以看得出湖心亭，阮公墩，及三潭印月的三個黑影。

幕開時柳湘斜依木坊望月，身披黑 Mantle。手執竹根在石堤上慢慢敲着作響，長髮。學生模樣的行人兩個從馬路的右邊上。

行人甲

人生眞愉快，如何？你看剛才西冷橋上那兩個男女……

行人乙

不，一幅好對照，一個好刺激。想想那忙着冬衣服，苦着明日飯的人呀！

行人甲

然而戀愛……

行人乙

够了，够了，你想現在的中國有什麼戀愛麼？那簡直是一種惡性的流行病！

行人甲

然而戀愛……

行人乙

你的戀愛論好把牠結個尾巴罷。（稍亢奮）

什麼人生觀，什麼人死觀，總然是『黑漆一團』啦！向這黑漆一團中勇往直進罷！革命，革命，只有革命呀！

行人甲（冷笑地）

你的革命，充其量也是個流行病罷。（注意到柳湘，聲氣壓細一點。）哦呀，藝術家，畫家！

（柳湘連不注意到行人的會話似的，儘管慢慢地敲他的竹棍，看他的月亮。）

行人甲（細細的對乙）

好一個 Scene！！喂詩的喲！

行人乙（向柳湘一瞥，輕蔑的口吻。）

你近來的藝術狂，戀愛熱和你外國語一樣眞堪唾棄呀！

行人甲

然而美……

行人乙

算了罷，算了罷！什麼美！什麼詩！什麼藝術！什麼戀愛！那都是一種閑散，一種懶忘！哦呀，

那邊又來了！男子三四，女子兩條……

行人甲

兩個女子，兩個新女子！哦，Stylish！

行人乙

去罷，我們幹我們的去罷；這些懶死了的豬咄！（左邊下）

行人甲

哦，哦……（踟躕着左邊下。停一刻碧蕪，子華，仿山，婉濤，麗妹等從馬路右邊上。）

碧蕪

那不是湘麼？喂，湘，湘！

婉濤

眞的是湘呢！

碧蕪

湘！喂，湘！

柳湘（醒着反身）

哦呀，碧蕪麼，碧蕪！（從木坊處跳下馬路）你們想到什麼地方玩？你們都從什麼地方來的？

婉濤

你不聽見人家說麼，從來處來？（笑着）

麗姝

我們到你那邊找你不着。

柳湘

我用過晚飯就出來了。

子華

他近來很忙。（望麗姝）

記憶之都

婉濤
湘近來越發瘋了似的，總是獨自東跑西走，再不招呼人家了！

碧蕉
瘋倒不見得甚瘋，好像在做什麼美夢。

柳湘（笑着對蕉）
什麼都好，只要有眼前的西湖，管牠是個瘋麼夢。你們想到什麼地方玩呢？

碧蕉
還跑得出這熟識的湖山麼？想偃着小船游湖。哦，月亮越發高起來了！

柳湘（四顧堤下）
喂，老嬸嬸，你的顧客來了。（老嬸嬸的影子從船中站起來，說聲謝謝你，先生。）

湘（轉向碧蕉）

我替你們介紹這個好麼？

碧蘿

再好沒有了。你不同我們玩玩去麼？

柳湘（躑躅着）

我想在湖邊走走……

子華（冷嘲地）

同我們玩玩去罷，湖邊有什麼人等你麼？

柳湘

我怕湖中要冷些……

仿山

同玩去罷，我外套給你穿。

麗姝

他總喜歡孤獨的。

婉濤

他另有他的不可思議，神祕。

柳湘

我總怕湖中要冷些……

碧蕉

什麼都好，湘。但湖中的風冷，吹不下滾滾血流的心熱罷。盡情地在湖邊唱你的歌！

（向其餘的人）我們快點坐船去來。（何處笛聲遠揚）

仿山

那麼我們自坐去罷……喂，船靠近一些來。

麗妹
你還是來罷……

子華
我們自玩我們的去算了喲！

婉濤
你眞的不來？

柳湘
你們這些人眞會麻煩；快下船去好了，看老媼在那邊等呢。（大家笑着走近石堤，先後下船，各爭拿船槳划船。）

麗妹
喫！不要碰着我！

子華　女子眞的會叫！

碧蕪　湘，湘……哦；叫月光灑得像幽靈般地！再會，湘。

衆人　再會，再會，再會！（遊船撑開）

柳湘　再會，再會……（唐突地）喂，碧蕪！你的妹子呢？鶯妹呢？

碧蕪（邊划船邊說）怕不是也在這神祕的湖邊？她好像和鍾琪同出來的，我不甚清楚。（船慢慢地向湖心駛去，到朦朧看不清楚時，還遠遠聽得碧蕪唱着歌，The last rose of summer 的歌。）

柳湘

好個美男子：我常要瞧着他美的鼻子傷心……，不他妹子的眼睛更美些……（高聲亂唱）啦，啦，啦……實在是個美青年！我在青年會一眼看上了他，以後就像變態地戀慕了他了，眞是好美。但夢也夢不到他帶着那樣可愛的妹子在身邊，好像溯浪生着紅蓮，相映着誘人跳下水裏尋香……（高聲亂唱）啦，啦啦……啊！多少醉人！多少傷情！（向左右顧盼着蹦跚一下，然後突然細着聲高唱着向左邊下，）How can I leave thee……（歌聲漸漸地聽不見，稍停，鶯能和鍾琪從右邊上。）

鶯能

但是，……

鍾琪

但是什麼？

鶯能

但是他是個詩人呢！

鍾琪

是，詩人！他想在夢中討生活！他好像癡心的小孩子，想向縹緲無心的女神求乞情熱，愛，同情之花。

鶯能

女神那樣無心縹緲着麼？

鍾琪

那何待說，鶯妹。女神將永不離她的王座，將不睬人間一切的祈求戀慕！

鶯能

你歡喜這樣冷心的女神麼？

鍾琪

冷心？我要說是崇高神聖！我崇拜這樣純潔的女神！

鶯能

可是這樣死灰的女神叫我做我都不想要呢。

鍾琪

唔……

鶯能

唔？什麼？可不是麼，鍾琪？女神非靈活活地飛不可，女神非情熱熱地愛不可，女神非受一切人的仰慕不可；並且女神喜歡聽一切的戀歌，喜歡聽粉蝶翩躚的翅膀，喜歡聽潺湲合奏的音波……

鍾琪

『女神喲！給我你的心！』假如有人這樣祈求，女神答應他麼？

鶯能

假使祈求的心誠而美，是我女神，我將給他的。

鍾琪

『女神喲，給我你的心！』假使又有人這麼懇願，女神將如何？

鶯能

假使懇願的心誠而美，是我女神，我將給他的。

鍾琪

但女神只有一個心呢！

鶯能

女神沒有那麼狹小！女神有無限的心情。她將永丟了愛慾的獻禮，永不顧冒瀆之淚，她是永遠的處女……哦，鍾琪，我們怎麼就說到這裏來了？

鍾琪

因爲我說他像個癡心的小兒，向無心的女神求愛花，……

鶯能

是，是，又因爲我說他是個詩人……但你有那種確信麼，女神是無心縹緲着的？

鍾琪

我有這樣的確信！並且我自慢我心目中的女神有這樣神聖，好像今晚的月亮那樣皎潔。（鶯能默然若有所思，仰望明月，靜悄悄一時。）

鍾琪

鶯妹，你怎麼不說了？

鶯能

……………………

鍾琪

鶯妹，鶯妹，你在想什麼？你記得我們最初的會餐？

鶯能

記得呢，不是在……你現在問這些做什麼？看啦，好晶瑩的月亮！

鍾琪

我時時刻刻都記着的。（稍停）是一年前的事了，可不是麼，鶯妹？一年前我因某種機會得和一位很可愛很可愛的妹子認識了，我們最初在三越的食堂會餐，她很可憐我似的，很同情我似的，由是我的靈魂就輕輕地被她取去了，我感激她，熱愛她，暗地裏呼她天使女神。鶯妹，她是誰你大概曉得罷。那時我照得她一張相片，要刻刻藏在我身上最熱的一部份。啊！從認識了她到如今，是我青春開花的時期，是我跑到樂園遊玩的刹那！

鶯能（感動者）

哦！

鍾琪

可不是麼，自認識了她以後，我想我們的愛是與時日同增的，我們的前途有無限的希望，有無限的幸福無限的快樂……我這樣想很得意地這樣想想……（望鶯能出神。湖中何處的笛聲發忽而中止，）但是，但是聽啦，鶯妹，我這種的幸福的想像，就好像那悠揚的清笛，在最近的一瞬間被什麼風或浪的聲音阻斷了，遮亂了似的，鶯妹，可不是麼？

鶯能

爲什麼呢？那是你自己的疑心罷……（笛聲又杳）聽啦，不是清笛更揚抑得可愛了？有什麼風浪？？（笛聲又止）

鍾琪

什麽都聽不見的，什麽都聽不見的，但有什麽關係，那有什麽關係。我早就知道除我以外，還有許多人愛着她，但我總不把他們放在心上。起初因爲我自信她始終愛我的，我相信她不會愛別人的；但是，但是，鶯妹，我漸漸地覺得了，我的幸福好像受摧殘起來了，我恍惚看見幸福的背面是悲哀的了！可不是麽，海中起了風波似的，我和她共濟之舟怕要被風浪打翻海底去了！我不能趕快地一口氣將船撐到平安的彼岸，我又不能祈求上帝把無情的風波打滅。啊！鶯妹，我怕，我怕！

鶯能

那是你自己的心虛罷……

鍾琪

你能够說這是我無端的臆測麽？你能够保證我麽？

鶯能

哦！（迷惑似地走向木坊處）

鍾琪（緊隨鶯能）

鶯妹，鶯妹！（想握鶯手，剛是時，湘的歌聲在遙遠處斷續唱，忽隱忽現。）

鶯能（駐足傾聽）

好像在雲中唱着似的，那是湘哥的歌聲呢！

鍾琪（傾聽樣子）

幾十年前的流行歌了！怎麼他常要唱這個！

鶯能

舊的歌找得出新的情熱。

（微微的歌聲：Its' long, long way to……），

鍾琪

眞是一條長的路，一條長的航路呢！生風作浪的險惡的……

鶯能（一心傾聽着）

眞是好聽（望月）月姐兒都聽得飛起來了，鍾琪你看，月姐兒不是在雲中走着麼？

鍾琪

那裏，雲飛不是月走呢。那點薄雲飛開了，平和的月亮會望我們笑罷！

鶯能

啊，不唱了呢！他在那邊看月亮，還是蹲在水邊作湖光的幻想？

鍾琪

在那邊想死了紅葉罷……

鶯能

好美的詩句喲！鍾琪你怎不唱呢？

鍾琪

我唱不出，我沒有那種高腔；我怕唱破喉嚨。

鶯能

歌，有高腔也不是隨便唱得，要有那種情熱。

鍾琪

唔………

鶯能（望望鍾琪的氣色）

我們找他玩去罷，他不知這邊來還是那邊去？或許哥哥他們也同在呢。

鍾琪

這邊那邊不是一樣地，反正是一條長的路。

鶯能

我們找他談談去罷，他不是很可愛麼，一個無邪氣的小孩子？

鍾琪　他是個可愛的詩人，但小孩子未必罷！假如他是個小孩子，你便是個還在母懷裏喫奶奶的紅嬰兒。

鶯能（嬌笑着）鍾琪眞會說笑呢！那麽他是個熱情的青年了，（愛嬌地，誘惑的。）我們看他去罷，喲！

鍾琪　我不去的，路不好走呀。

鶯能　我們一路去罷，我們攙着同走罷，喲！

鍾琪

不，一條長而崎嶇的路，我怕走的。

鶯能

你眞不同我去，鍾琪？（望望他的氣色，好像在穿鑿什麼似的。）那麼，你就在這邊等，我喚他來，我追他去來。（向左邊走下）

鍾琪（着急着）

不要跌落湖中……哼！可愛的詩人！（走上木坊，在石堤眺望，俄而搖船的水聲漸近。）那個野郎的遊船……！（張望）哦！碧蕪他們麼？好個氣閑的哥哥！一個妹子要任她飛跑，在這人稀氣冷的湖邊。喲！（走下馬路，望鶯能去處踟躕着欲往不進的樣子。有頃，船近岸，碧蕪先起岸，呼喚，餘人在船中說說笑笑，不起船。）

碧蕪

喂！湘，喂！你還在這裏迷惑麼？

鍾琪

我呢！

碧蕪

哦呀！鍾琪麽？你怎麼獨自一個？我的妹子呢？

鍾琪

你怎麽會問起你的妹子來了？怕在那邊唱歌罷。在雲中唱着……

碧蕪

呃！你今晚怎麽會說這樣夢幻的話來？（望望鍾琪氣色）怎麽了？你的氣色不大對呀！是我妹子欺負了你？她到底在什麽地方？

鍾琪

好哥哥，不必怕她失掉了，保護着他的人多着呢！

碧蕉

哦呀，哦呀，這才有趣！但現在的護衛兵很靠不住，你就是個榜樣呀。你怎麼放她獨自一個在那邊唱歌呢？並且說在雲中唱着？

鍾琪

她找湘去的……你們遊湖，怎麼這樣早就回來？

碧蕉

想買點酒湖中喫去……湘在那裏？

鍾琪

不是對你說了，他在雲中唱着歌，引妹子找他去的。他們在斷橋那方。

碧蕉（回顧船中）

喂！誰同我買酒去呢？（船中笑聲）

碧蕪（對鍾琪）

眞是一些猪！只會笑，唉……鍾琪，你同我買去罷，我們今晚要盡量地喝一喝。啊！我得着什麼靈感似的，我眞想醉死在湖光裏頭，鍾琪，鍾琪買酒去罷！

鍾琪

你也是可愛的詩人！但我不能同你去。

碧蕪

怎麼？怎麼你這樣沒有興致麼？你看這神祕的湖光，你看那遠山的迷濛，你又看那誘惑我們的月娘！獰笑着歪着心的高椅子我們坐不得，辦公室中打瞌睡的長棹子我們也沒有手段霸佔一座位；但叫人不爭氣的西湖該許我們玩玩罷，叫人癡呆醉懶的酒，該讓我們喝一口罷！鍾琪去啦，我們痛痛快快地飲一回罷。尤其是你現在酒上有酒！

鍾琪

好哥哥！你妹子叫我這兒等，並且我近來看酒生厭。

碧蕪

你還怕她到這裏受寒麽？保護她的人多着呢。去罷，你又何必這樣拘泥？要曉得守信也算是罪惡，我們要多多地刺動人家的神經，重重地驚擾人家的懶安和平，那就算我們現在做人的責任完了的。最好是要使人家絕望，失望！你曉得失望絕望有無限的意趣？去罷，鍾琪！

鍾琪（帶氣的踟蹰着）

我不能同你去，第一我脚也酸……（船中嘈雜的說笑聲）

碧蕪（敗興地回顧船中）

喂！想酒吃的同我買去！

子華（慢慢地起船上岸，笑着對碧蕪）

你不是在發議論麼？（轉向鍾琪）鍾琪兄今晚湖邊好玩麼？

鍾琪

冷一點……

碧蕪

喂！再一個人來！還要拿許多東西呢。

仿山

我來，我來！（起岸）

麗姝的聲

你們買什麼酒？

碧蕪

不是白蘭地便是威士忌；或者赤色的玫瑰露。

子華

那樣強的酒誰喝？

碧蕪

我喝呢！

仿山

花雕酒不好麼？

碧蕪

這淸冷瀟湘的西湖，再配上淡泊的花雕酒，那不是太可憐了？我們要强烈的。

子華

但誰喫那樣強的火燒酒！

碧蕪

我喫呢！等下湘又來了……

　　麗妹的聲

你們要買只燒鴨來喲！

　　碧蘋

是，是，什麽都要燒的！

　　麗妹的聲

松花蛋不要忘記。

　　婉濤的聲

還有水果……

　　子華（不高興地）

知道了，知道了！

仿山

我們去罷，不要就擱時間。

碧蕪

還怕就擱時間麽？叫這清閑的月娘和這懶怠的西湖聽了笑死，但是去罷。鍾琪，你在這兒等罷，今晚怕要醉哭一兩個人。

鍾琪

我決不會的。

子華

鍾琪兄向來小心。

碧蕪

眞的你未嘗醉過，你好像無那種血啦。但對你說，今晚不許你阻誰的酒。要曉得酒杯中才我得一點生意，又生得一點眞的口水唾沫。

鍾琪

不！酒生事！

碧蕪

酒生情。

鍾琪

瘋的情？狂的情？哭的情？挑動的情？

碧蕪

不，眞的情，熱的情，美的情，無限的情！（遠遠湘與鶯合唱的歌聲）

碧蕪

哦！他們來了，他們來了，我們快買酒去罷；回來須多僱一隻小船兒。

鍾琪

碧蕪，你要買許多酒？

碧蕪

不必擔心呀！盡在衣袋中鄙吝着的錢，也醉不得西湖臉紅呢……

鍾琪

我跟你去來。

碧蕪

你脚不酸痛麽？並且妹子叫你在這邊等呢，（碧蕪他們剛要退場，船中尖脆的笑聲，遠處的歌聲漸近，鍾琪不安狀。）

碧蕪

眞是在雲中唱着似的。

仿山

我們快去罷。不要就擱了時間。

碧蕪

你這樣寶貴的時間，怎不叫牠駕着飛機飛，倒在這沒有打算的西湖鈍馬似的拖過了一兩個月呢？（傾聽着，歌聲越近。）

鍾琪

好個陳舊的流行歌！

碧蕪

眞是個古舊的歌兒；但好神祕的聲啊！在深海裏的水晶宮唱着似的……

（歌聲悠揚地終止）

碧蕪

眞有五彩色的聲音，但可惜太短了些。（對仿山）

喂，我們去罷，要多買一點酒。（對子華）

你怎麼這樣鬱悶着？格外買一瓶淺薄的花雕酒，把你罷。快點同來……鍾琪，湘他們來了，就叫他們在這兒等等，我們船載着酒，即刻就來。（向船中呼喚）

喂！你們高貴的女士，請上來伴伴鍾琪說話呀！（轉向鍾琪）鍾琪，你到船中坐坐麼？

（碧蕪他們從右邊下船中，麗姝、婉濤站起，從水面露出上半身來。）

鍾琪（不安狀，想跟碧蕪他們下，躑躅。）

好，個哥哥！

（湘，鶯能歌，聲又發，更聽得明瞭些。）

婉濤

哦！你不要跌下湖中去了！

麗姝

眞是險些兒跌下去了，我一心聽湘他們唱着……

鍾琪（焦灼狀）

貴女士們好好地跳呀……哦！好個動亂的夜！好個淸澈的歌聲在空中唱着似的，在深海底的水晶宮唱着似的……那裏那裏，在湖面上迴轉似的，在樹梢頭繞着似的，很明瞭很明瞭的了，什麼都很明瞭明瞭的了！（不定的蹤過來蹤過去。婉濤，麗姝上岸，慢慢走近鍾琪，望着他出神，想對他說什麼似的，但沒有話說。這時划船的人從船中站起，跳上岸，在石堤處踟躕片刻，說：『小姐在這邊等麼？』婉濤醒着似的。）

婉濤

對了，在這邊等喲……

（湘，鶯的高笑聲，落幕。）

第二幕

與第一幕同一夜。

三潭印月。

舞臺左邊堤岸，遊船上落處幾級堦段露着。岸上向後一燈桿，一點黃燈在上；岸上向前一條石櫈。

舞臺右邊前雜木林，後x亭的側面，再後又是雜木林。通雜木林及亭間各有石造的小徑，徑之傍許多看不清楚模糊的花草。

左邊遠景，迷濛的山脈，模糊的雷峯塔影，閃閃的湖光，湖中一小石塔浮在水面。

右邊遠景被雜木林遮住。

舞臺中央後部是雜木林與堤岸連着處。

夜深，月色寒娟。

幕開時，靜寂片刻，俄而搖船聲。

子華的聲
喂，輕划一點，不要碰着石堦。
仿山的聲
到了，到了，到了！掌上幾個水珠泡是我今晚的報酬。（船首靠着堦段，子華先跳起來。）
子華
喂，放他自在去罷！（走近燈桿）
仿山的聲
不危險麽？
子華
什麽危險？總比剛才跳船安全些。

麗妹的聲

叫他靜靜地睡一睡也好，他今晚眞的唱夠喝夠了。

子華（走回船旁處）

貴女士你們快起來罷。注意他醒起來發酒瘋！（麗妹牽着子華手起船，婉濤隨後。）

子華（一面牽着麗妹，一面對婉濤。）

等一等，等一等，我來扶你……

婉濤

我不怕跌的。（敏活地跳起來，對麗妹。）

怎麼你要人家扶起來了，眞是笑死人！

麗妹（拂下子華手）

酒喫得太多喲！在這裏我還站不定呢。

婉濤　啊！今晚眞有趣！（走到燈光之下）這個燈光禁不起冷氣在戰慄着似的，（走回，到船中。）仿山，怎樣了，不醒麼？

仿山的聲　不醒……

麗姝　要是湘哥剛才跌下水中了，那才有趣呢！眞是個瘋子。

婉濤　他眞的像個聰明的白癡，那樣不顧頭臉地要跳過船來。

子華　跌下湖中淹死了才是殺風景呢！（望船中）

喂！你還不起來麼？冷刀放在他頸上他都會不知道呢；眞是可憐又可笑！

麗妹 眞的他喫了不少的酒。那邊已經半醉了，過來我們船上，又東倒西歪地喝，喊，唱。

子華 總之碧蕪這個好哥哥！他總想苦死了妹子，醉死了柳湘，氣死了鍾琪，笑死了自己。

婉濤 你不看見碧蕪流淚？他望着湘的頭髮流淚呢，當湘俯伏船舷時。他何嘗這樣想，你這……

仿山（從船首跳起來，接着說。）眞的，我也看見了；但不知爲什麼又要笑着。他邊滴滴眼淚，邊笑着露出他那美死了的牙齒。

子華

碧蕪也有眼淚流麼？那有點可疑！假如有，為什麼不對着他可憐的妹子流，却對什麼湘的頭髮？湘的頭上莫不是有了墳墓，美人的墳墓？或湘的頭髮中埋葬着死鸚鵡？或者散散的落花……哈哈哈！他們這些詩人，眞是笑不得我肚子破？又要什麼潑笑着潑滴滴地……

婉濤

這正是碧蕪可愛的地方。他有好銳敏的感覺，有好優美的感情，有好不可思議的心！你又不看見，你那裏曉得？你在船中就只會和麗姝玩皮！

麗姝

婉姐，不要說到我身上來喲！

仿山

在我看，碧蕪和柳湘簡直是倆情人。

子華

那也說不定；但他們同樣的頹廢，尤其是碧蕪是個無神經的，他總想把個妹子當……

……

婉濤（憤慨着）

當？當什麼？你不要這麼說碧蕪，尤其是在我的面前！

麗妹（指着子華）

眞是不懂事體！

子華

啊！對不住，對不住！（對仿山）怎麼樣了，那個醉泥鰍？，不可愛的醉詩人，醉仙怎麼樣了？

仿山　簡直醉死了似的！搖他不行，推他不行，翻他也不醒。

子華　憑他去罷，隨他做個詩人夢罷。或者我們要有第二個的李太白捉月，那才有趣呢！我們到裏面玩玩去好了，終不成在這兒替他擔憂一夜。

仿山　不會凍壞麼，他，這樣冷的深夜？

婉濤　眞的要凍壞呢；拿什麼蓋着他就好。

子華（對仿山）你外套脫下來罷。

仿山

那不行。我每喫一點酒就要發酒寒，你捫捫我的手看，咐呼！（震慄起來）

子華

那就沒有辦法了！我喫酒很怕風的。

婉濤

啊！碧蕪他們來就好，碧蕪爲什麼還不見呢？（走到船首處眺望）

仿山（跟着婉濤跑，指着湖中。）

那個黑影怕不就是？你看那不定的生起波光，怕不是碧蕪在划船麼？

婉濤

恐怕他也醉死了罷；啊，碧蕪，碧蕪！

仿山

不要那麼着急啦，等下就來了哩。

婉濤　怕要翻下湖裏頭去……

子華（冷嘲）終不成他們會翻下湖中情死！要情死這裏還剩着人呢……我們裏面玩玩去罷。（對麗姝）裏面玩玩去麼？裏面沒有個人影似的。

麗姝（懶怡怡地）去罷。但我走不穩，眞是謝謝碧蕪的白蘭地！

子華「淡泊的花雕酒怎夠美人兒的唇紅口香」這是剛才碧蕪船上說的。你來罷，有我扶呢。（對仿山婉濤）你們也來麼？不要老在這兒替瘋子擔心。要曉得鶯妹嬌嗔的一小聲，值得你們十分顧惜的友情……『湘哥』這麼的嬌嗔一聲，他就要像貓兒溫順地投伏在她的膝下了！『蠢湘哥』這麼嬌嗔又一聲，他就要像白癡似的跳到花架下撚着花兒呆笑了。啊！眞是！我們去罷。（扯着麗妹）

麗妹（半倚在子蕼的胸前，一步一顛似的和子蕼走向亭中去。）

啊！眞謝謝碧蕪的白蘭地！（兩人下）

仿山

眞是個刻薄鬼！

婉濤

在碧蕪湘他們面前，他却一聲也不敢響，他就只會在人背後私咬一兩口罷了，他只會注意着無人影的地方。他在嫉妬呢！

仿山

嫉妬什麼？他不是剛擁着一位美人到裏面去？

婉濤　可憐的麗妹，（口氣一轉）他也愛着鶯妹，你不知道麼？

仿山　哦呀，還才是個大大的新發現！

婉濤　他罵碧蕪無神經，他自己才無神經，卑怯呢！我眞是瞧他不起。

仿山　哦呀，哦呀！

婉濤　眞是！好像一隻獵狗似的，這裏嗅嗅，那兒聞聞，想有天鵝肉喫麼。但却又怕老虎似的，一個狡猾的尾巴長垂在屁股後面，叫都不敢叫一聲！

仿山

你寃枉了他罷。

婉濤

我寃枉他做什麼？他眞愛鶯妹愛得發抖！但他又何嘗是愛，有什麼愛！他不過想捫捫
女性新鮮的皮肉罷了，咄！

仿山

哦呀，哦呀

婉濤

眞的呢，像這種劣男子，不知道還有許多許多！他們總想女子是他們口邊的肉塊。但
你眞是個女性的好朋友。我看你就是太老實了。你愛過誰麼？

仿山
你看誰要愛我？我這個……
婉濤
誰愛你不愛你不必管啦；問題是你愛不愛。你不要太畏首畏尾了。
（裏面的犬吠聲）
仿山
你聽見麼？說起我的愛來，連狗都要吠了！
婉濤（笑）
不要說得那麽可憐；恐怕是在吠着剛才從這兒進去的牠的同族罷。
仿山（笑着）
哦，不要太刻薄了他。我們也進去玩玩麼？

婉濤（踟躕着）

放湘在這邊叫露水凍？

仿山

但有什麼法子？喚他他又不醒。

婉濤

眞是，恐怕那神祕的雷峯塔崩壞的鳴動，或者會驚醒了他，但是。

仿山

到底是什麼意思呢，他要跳過船來？眞是險些兒就跌到湖裏頭去，好得你摟住了他。

婉濤

你不聽兒麼，當我們兩隻船挨着走的時候，鍾琪說……不過我暗自悲傷，暗自流淚罷了！除開這兩件事以外，我不能做一點什麼。別人把我的安慰奪完了，我剩下的就是悲痛。我不能對別人怎樣，我只嘆我自己的運命……啊！終究是一個苦的運命！我從了耶穌的教訓，我將愛我的敵人……你不聽見麽鍾琪說的這些？

仿山　一點都沒有聽到，那時我一心在看船邊的波光，直到大家靜默了，我倒轉醒過來，看見碧蕪在笑着垂淚。

婉蘅　就是那時啦，湘狂笑起來。不知鍾琪再說些什麼，他就歪身俯伏船舷了。碧蕪望着他的頭髮流淚；此時妹子半醉地攤開青蓑下湖中；鍾琪呢，弄着酒杯悶着氣……一刻的沉靜，只有一刻的沉靜，湘就氣狂地跳過來了。那時你驚叫一聲，妹子睜着黑大的眼睛……

仿山　哦！眞是……

婉濤
總之，苦死了鶯妹。湘那麼瘋狂熱情，鍾琪那麼忌刻猜疑……

仿山
碧蕪又那麼不關心……

婉濤
問題倒不關着碧蕪；他除開傷心驚喜自家知以外，可以對哪方面表示什麼？

仿山
這倒也不錯的樣子。但鶯妹到底愛誰呢？

婉濤
這却是個謎了……總之她像同時愛了他們兩位。

仿山

那又何以知道？或者她倆個都不愛也未可定。或者她對於他們兩人完全是出於一種好奇的眩耀的心也未可知。我總覺得女子的虛榮心和物慾太可怕了。

婉濤

你不要太把女子看輕了；但却有大部份的女子是這樣的。不過你眞有點老實得蠢！一個女子愛着人還看不出麼？並且她曾親自淚痕滿面的對碧蘋說過；她說：『……我爲了他們兩人哭，傷心！他們竟不能兄弟似的相愛着麼？運命不許我同時愛他們倆麼？我們竟要煩惱，苦得這樣早麼？啊，啊我不知道怎樣好！哥哥，我對他們都絕了交好麼？或者我死了；啊，啊……』

仿山

那是鶯妹自己的錯誤，是她自尋的苦惱。你想一個女子可以同時愛兩個人麼？

婉濤

淺薄的話！爲什麼不可以呢？假如不可以，那就是證明現在的人們還未進化，還野蠻着！

仿山　你這奇拔的論調眞不敢領教。但怎樣都好，我們等着看他們的收場罷。不知鹿要死在誰手？

婉濤　眞該死！總以爲女子是你們男子的競賣品麽？做夢呢！眞醜！

仿山　我說錯了，說錯了，看誰要成功？

婉濤　什麽叫做成功？

仿山

要怎樣解釋好呢？恐怕又要說醜了，在你們這些詩人美人之前……哦！看誰失敗！

婉濤

什麼叫做失敗？

仿山

碎了青年心的失戀！誘了詩人淚的失戀！這怕是美的解釋罷，是麼，青年心，詩人淚！

婉濤

好可憐淺薄的見識！

仿山

哦呀，哦呀！

婉濤

戀愛的面前有什麼成功失敗？戀愛只有破滅與完成！

仿山

你們戀愛的專論家，那和成功失敗有什麼差別？

婉濤

差得多呢！成功是把生長着的事物弄死了，失敗是把牠弄糟了的。但戀愛決不會死，戀愛決不會糟。戀愛只有永遠的光輝，戀愛只有永遠的受傷；前者是完成，後者是破滅。差得多呢！

仿山

只說不過你的雄辯……那麼，不知鍾琪的愛要永遠光輝，或者湘的愛要永遠受着傷，還是鶯妹的要永遠光輝與受傷？

婉濤

好纏死人的話！但怎麼曉得呢？我們只曉得最優美最純潔的心，是最容易受着傷的。

仿山

那麼，臉上留着愛的傷痕的，都有非常優美純潔的心了？

婉濤

那何待說；但也說不定。有的要用着自家的毒牙咬爛自家的肚臍呢。

仿山

誰這樣蠢！你有二枚舌，我也不相信這個！

婉濤

多着呢，譬如……

仿山

等下我的蠢神經弄瘋了；算了罷，算了罷，我們說別的罷。（犬吠聲）

婉濤

我們進去看看罷。

仿山

是麼。

婉濤

但碧蕪他們這樣了呢？那個黑影簡直看不見了。

仿山

恐怕他們從後面起了船也說不定；你聽裏面狗聲狺狺地，或者在吠新來的客呀。

婉濤

或者，看看去來罷。啊！可憐的湘！

（兩人向亭中慢慢地走進去，不住的犬吠聲。稍停，船中的嘔吐聲。湘慢慢地從船首起來，還站不穩的左右顧着，走依燈桿，看看四圍，望望天心，現出疲勞蒼黃的顏臉，醉心地自問自答。）

柳湘

哦，好個月亮；這是什麼地方？三潭印月？！啊可不是麼，那是雷峯塔，那是三個燈籠似的小石塔浮在水面……都跑到什麼地方去了？放我一個人在船中？不，這樣孤零着清快些，眞的清快些，肚裏一切的髒東西都吐出來了，一切的一切的鹽的酸的苦的辣的……

（沙沙的風聲）

咐哼，冷呀，好冷呀！秋天的西湖有這麼冷麼？！啊不可思議的寂寞悲哀……我靈魂在寒冷的湖面上浮遊蕩漾似的，浮遊蕩漾蕩漾……哦！一湖的銀波光，閃閃地望我招呢微笑？！啊西湖的月夜喲！人喲！美喲！哀苦喲！哼，哀苦，哀苦，深望哀苦永伴着我，跟我到黑深深的墓床中去……喲！是何心理？說不出我的心拿不出我的心呢！，飛飛，飛罷，跳罷！跳，飛，何所求？想飛上空中幾點的小星星？想趕着清冷的秋風遠遊那裏那裏，我畢竟跳下一隻侷促輕浮的小船中了！結局只跳下一隻侷促侷促的小舟中了！（犬吠聲）

哦呀！狗吠麼？那掛在我心頭！破開喉嚨盡吠罷……唔，惡狺狺地，望着碧蕪吠麼？望着鶯妹？鍾琪？哦，妹子怕得心跳罷……（趨走長櫈，右手抵住石櫈上，左手提高身斜傾着仰天的樣子。）

怕得拉着鍾琪的手罷！「哦！鍾琪，鍾琪！可憐的兄弟喲！何必淚沾院後清淨的夜來香？何必熱情地喚你一聲不響？又何必說些不等角的三邊四邊？何必咒咀運命痛駡蒼天……

……」（犬狂吠聲，淵離開石櫈。）

哦，怕得躲在她哥哥的懷裏了罷……啊！惡狺狺的醜狗！我非爲着她趕走你！爲着她，美，神祕，我什麼都可以不要的。（望雜木林中奔去，稍停子華，麗妹偷偷地從另一雜林中出手牽着手。)

子華　聽了麼，他的咆哮？裏面的確是一隻醜狗惡狗；但他是隻瘋的呢。

麗妹　你不要這麼罵了他。

子華　我想褒獎了他了；他簡直是個精神錯亂的爛龜！不是懶睡，就是醉，淚！

麗妹　不，他有很熱烈純潔的情……

子華　哼，你們女子總喜歡熱情！但好個無謂的熱情！空虛的熱情！牠燒不開一壺水倒要疼死幾千的處女心！你們女子又喜歡感傷！但好醜態的感傷喲！好無勇氣的感傷喲！我們只要力，只要勇氣，我們只要將所要的緊緊抱住！！咄你們女子懂得詩，熱情，做夢，感傷，涙汁！

麗妹

何苦來呢！鶯妹愛不着就駡起人家。

子華

我何時愛着鶯妹？你看我何時捫着她的手麼？

麗妹

是啦，就是捫不着她的手，所以要這樣顋熱耳赤的。（拂下子華手）

子華

咄，那種許多人愛的女子，那種愛許多人的女子，我愛她麼？

麗妹

就是背後跟着許多男子的才希奇啦！

子華 說鬼話！你在亂猜什麼？你在嫉妬麼？

麗姝 那又何必費心神猜，我現在清醒了呢！說到嫉妬，那更是無謂；不過我要說說你罵人的心理罷了。

子華 我曉得了，湘人人都愛護；他是個詩人，他有純潔熱情的心，他有做夢的眼睛，他又有狂歌痛哭的好聲音！啪碧蕪也是！你們都愛這些人！你也愛他們去罷！我不能說些神祕畫些美，唱些哀歌你聽……

麗姝（嘲笑地）

那是當然的，誰像你那麼不要臉皮：

子華（追近麗妹）

我倒要問問我不要了的臉皮！

麗妹（憤恨地）

你爲什麼强抱我 kiss？你爲什麼對我說那些？你又爲什麼迫我……

子華

那完全是我的錯處麼？誰也强不得不願意的，你如不來……

麗妹（哭泣起來）

啊，啊，你說得什麼？怪不得你，怪不得你，眞是不要臉皮！眞是不要臉……

子華（溫存地撫着麗妹的肩膀）。

你想想看，我們年紀這麼輕，熱血和酒精在我們的血管中走着。

麗妹

不要聽你的，不要聽你的！走開些，你走開些，野獸似的你！

子華

不要這樣惡駡我罷，對你的臉皮也有關呢。哦呀，那邊人來了！（傾聽者）碧燕他們呢……我們走開罷，這樣淚痕滿面地叫他們看了才沒有意思。

麗妹（憤慨着）

卑怯者，卑怯者！我要看看你所謂的力，我要看看你所謂的勇氣！

子華（慌張着）

小聲說些罷……

麗妹

哦，哦！你跑開，你跑開罷，卑怯者！你爲什麼不把我緊緊地，緊緊地抱在你的懷裏！你爲什麼不敢在他們面前將我抱住……（碧蕪他們的說話聲。）

子華（拖着麗姝手）

我們裏邊說去罷……

麗姝（似願似不願地任子華拉）

哦哦！！（兩人退入後方的雜木林。碧蕪，鷺能，鈺琪，婉濤，仿山等從亭中次第出來。）

碧蕪

在什麼地方？真的醉得都動不得了麼？

仿山

恐怕神祕的雷峯塔崩壞的鳴動或者會使他驚醒也未可定：這是剛才婉濤說的。

婉濤

可不是麼，怕要像前個月東京那樣大的震災才會將他嚇跳起來罷。

碧蕪

不，或者他已冷醒了也未可定……

婉濤

但酒熱會驅走寒光冷氣罷……

鶯能

哦！不要作抒情詩，在什麼地方我們看看去罷，船靠在什麼地方呢？

婉濤

在那邊呢，他匥伏在船尾的（鶯能走向燈桿上張望著。錘琪無與地坐下亭增。）

婉濤

眞是！醉得連醒動的氣力都沒有了，也不曉得起來賞賞月亮。

碧蕪

啊！這邊的月娘更有趣了，在細聽杭州市內猥雜的情話似的……哦！天喲！人喲！這月夜喲！沉醉的湘喲！

鶯能（使着性氣）

！哥兒你在喊什麼湘哥呢？這空洞洞的船中……

碧蕪（走近鶯能處）

妹子，湘不在船中睡麼？

婉濤

哦呀！（走近岸邊看）

鶯能（對碧蕪）

你在岸上做夢，不是他在船中睡！

婉濤

眞的不在了哩。

碧蕪

是，是，不錯的，哥哥做夢，你哥哥在做夢！老實對這愛死人的湖光說話，我眞的在岸邊做夢！我不曉得什麼，做夢似的；但我什麼都曉得，現在這裏說話呀。妹子，湘眞的不在船中了麼？

鍾琪（站起來，獨白似的。）

眞是個做夢的哥哥！

仿山（望望鍾琪）

眞是個瘋子！又跑到什麼地方去了。

鶯能

怕不是跌下湖裏頭去了？（跳下船中）

碧蕪

妹子，妹子，你注意些，不要跌了；湘怕在雜林中找你呢。

鶯能

怕什麼，湖水淺跌不死的！（鍾琪捉着仿山的手緊張着。）

仿山（驚愕地望鍾琪）

怎麼！

鍾琪（釋放仿山手走向燈桿。）

沒有什麼……妹子呀，你起來罷，我們裏面找他去。

碧蕪

哦！要什麼地方找他去呢？在曲欄下的殘荷葉上？在雜林中的霜草尖頭？或者在幽光閃閃的湖面？或者冷氣侵侵的樹梢端？不，他還臥倒在船板上也未可定。妹子，你看得眞切麼？

鶯能的聲

我眼睛要比月亮還明；我看得見雷峯塔尖歇着夜烏的寄生樹呢！

碧燕

妹子，在這幽暗的夜光中不要太看遠了，容易頭暈目眩的！注意你站的是浮搖不定的船板，腳底下是不知有何深的泥田！你起來吧，如湘不在那兒，怕他迷在竹徑通幽的裏面去了哩。

鍾琪

眞的快點起來好些呀！

鶯能的聲

哦！有他遺下的絨帽子，都給冷露濕透了的！

婉濤（對碧蕪）

我們裏面看看去罷。

碧蕪

是，是，（對鍾琪）你好生看顧妹子，（對仿山）喂，我們裏頭看看去罷，或者他要在裏面魯莽地碰着假山頭破了。（大聲一點）妹子，不要盡在船中迷惑。他不會鑽入船縫舷隙的；他常不住地飛，跳啦。（與婉濤仿山退入雜木林。）

鶯能的聲

啊！可憐他這個絨帽子！好像他的靈魂與頭髮織就似的。

鍾琪

妹子，你起來罷，我和你說點話。

鶯能的聲

你下來罷，這裏還有菱角……哦呀！他的衣帶子！（小聲些）這裏還有菱角給你喫呢……

鍾琪

妹子，我請你起來！那裏是很危險的！

鶯能的聲

危險？那麼你來保護我罷。我不曉得有什麼危險……（小聲些）啊！好美的衣帶子！

鍾琪

妹子呀，他在裏面找着你着急，你却在這兒悠閑地稱讚他的東西……

鶯能（走到船首來）

我怕他跌下湖裏去了……

鍾琪

那裏。任他瘋也瘋不到不要了自己的生命啦。你起來罷，我有話對你說。

鶯能

眞是，但我聽見瘋子，（一面上岸）我聽見瘋子常要有不可思議的感官，或者他會看見湖中有什麼美人，就跳下去了也未可定，像剛才要跳過船似的。

鍾琪

但不知他眞瘋假瘋……哦！我們亭中坐坐去罷。

鶯能

在這兒站着不好麼？哦呀，哥哥他們呢？

鍾琪

他們找湘去了的。

鶯能

他到底是什麼地方去了，眞不會跳下湖裏頭去麼？

鍾琪　要是這麼擔心，水裏去找他的屍首好了！

鶩能　他的屍首要從何處找起？他像不帶着肉體的靈魂似的……

鍾琪　不帶着肉體的靈魂？不，不失了中心的獨樂沒有腦殼的螺旋釘呢！

鶩能　哦！你的話眞有趣！但什麼都好，我們也找他去罷。

鍾琪　我有話對你說呢。

鶯能　什麼話喲你說罷。（坐下石凳）

鍾琪（踟躕一下）是，鶯妹，你聽我說罷；我可憐我自己，還是可憐他湘多些。是，像你說的他是個可愛的詩人也未可知，是個情熱純潔的青年也未可定；但由我看來，（漸漸亢奮着）他只有心，感情；沒有腦殼，意志他不能夠駕御他奔放無軌的情，不能夠壓抑他爆發的飛躍的心！他只怨他突進的飛車亂撞，不顧忌一切的障礙破壞，不管一切的損傷毀滅！鶯妹，我們現代的青年，尤其是現在的中國青年，稍爲有理智些不是好麼？稍爲自克制些不是好麼？我們應該要忍耐着，思慮着；我們應該要顧己顧人顧一切。我們不服一切的道德律，但我們不能不維持人間的秩序；我們不能犧牲自己的幸福，永生，但我們不能不尊重人家的安慰和平……鶯妹，你微笑什麼？我這話錯了麼？，啊！啊！這有什麼關係！總之他是個突飛的無軌的急行車，又是個心血多腦汁少的畸人！因他這樣，就因他這樣，才會惹起一切人的注意，才會引起你的愛也未可定。但是看罷，鶯妹，世間為着瘋子開的路是沒有的，他要是永遠地這樣莽撞，他何時會給車馬軋死罷！突飛的無軌的急行車何時會碰着岩石粉碎罷！做夢的眼睛何時會出血罷！啊，但這有什麼關係……總之我可憐自己還是可憐他多些。我能夠受苦，能夠忍耐；我能夠壓服我無理的情熱，能夠克制我強烈的欲求。我能夠犧牲我的幸福，能夠讓給供獻服從！但我不是個懦弱者喲，我還能夠奮鬬，耐着奮鬬，鶯妹，你知解我的意思麼？並且我又何苦來呢？我既被運命戲弄了，既被運命撇開了，終是一苦了世，左右成了個被社會虐待了的人，又何必去架着人家的路呢，妨害人家的成功呢！以至破壞人家的幸福呢！所以，哦，鶯妹，我願你專愛他一個人，永遠地，專心地！他湘要說：『我們來開一朵上帝未曾下過種子人間奇異的三葉鮮花罷……』——鶯妹，何苦來呢！並且這不是笑話麼，未免太異端了罷！啊！笑話，奇恥，苦惱！（稍停，憤恨地。）並且，鶯妹，啊！啊！什麼都好，總之，啊！總之半天起了烏雲慘霧，中途生起惡浪陰風，將我的小舟推翻了，將我一切的希望安慰搶奪了……啊！啊！我咒咀人間，我咒咀運命！不，不，我能夠犧牲，能夠讓與，能夠忍受一切苦痛我負擔得起！鶯妹，鶯妹！鶯妹丟開我罷，他是個可愛的詩人……啊！愛他去罷，專心地，永遠地。（頭垂下去）

鶯能（很受感動，執着鍾琪手，起立。）

鍾琪，你不要這麽着急好麽？你一定不要這麽着急才好！並且他怎能夠笑着看你的小舟打沉，我又怎能夠撇下你！啊！是我的運命，是我們三人的運命呢！

鍾琪

不，不，這種厖煩的運命我想丟開！總之，啊！總之我還要念書，你把我們年來相結着的一縷細絲剪斷了罷！

鶯能（細細聲）

那怎麼使得……

鍾琪

怎麼使不得，輕輕一剪就完了！

鶯能

我沒有那麼忍心，並且我愛你，同時愛他；愛他，同時又愛你。

鍾琪

哦！你這是什麼心？

鶯能

我不曉得……

鍾琪

啊！你無論如何要苦惱的麼？

鶯能
你心這麼妬忌麼？

鍾琪
妬忌啊？！女神只有一個心……

鶯能（強起來）
是，女神只有一個心，那是愛，愛愛愛！

鍾琪（輕丟鶯能手）
好，我明天返東京念書去！或許那邊荒亂的市城還要比這兒有秩序些……（湘哥猝地從亭中走出來）

鶯能
哦！湘哥！（走近湘，鍾琪注視着。）

柳湘　哦！鶯妹，鶯妹！

鶯能　你怎麼這樣跳東跳西，使人家跟隨也沒得跟隨起。

柳湘　難道我要死坐在禪床中念戒條……哦！鍾琪，我們一切莫說了罷，我們好好地大家玩玩罷。啊！這個月，這個景，這個情！

鍾琪　不，你那樣瘋，並且你酒還未醒清似的，我怕同你玩。剛才鶯妹在這兒還怕你跌下湖中訪美人呢！

柳湘（對沉悶着的鶯能）

但可惜湖底只有霉爛的舊泥……哦呀你怎麼這樣鬱悶悶地？要愁苦太可惜了我們短促的日子呀。

鶯能（神情一轉）

可不是麼湘哥，我們不要太苦早了！我們儘管歡歡醉醉地……鍾琪，你也來罷，我們重復划船去！我撐舵，你們搖槳，划到湖中心，叫他們找不到才有趣呢。

柳湘

眞是，我們划到迷濛的湖心去！什麼都要模糊些，神祕些，不要一手就給人家擒住了才有趣，我們去罷，船中或許還有酒呢。可不是麼，鍾琪，我們不要叫理智太相欺了；西湖能有幾度月明時，月明能得幾回聚？啊，船中或許還有酒呢……

鶯能

你剛才聽說不是醉倒在船尾，你醒了麼？

柳湘　醉時早，醒時易呀！鍾琪，去麼？

鍾琪　不，你們和碧蕪眞是三生的好兄弟！但我總這樣想，青春是一個極短的刹那，與其夢幻過去，不如睜開眼睛，找到我們眞正的人生，向我們唯一的路上走去。

柳湘　鍾琪，我們唯一的路何處？誰曾找過來的？

鍾琪　所以要睜開眼睛找……

柳湘　可是睜破眼睛瞧，看到的還是古人滴過了的而我們現在正滴着的淚痕沿途的舊路罷！並且唯其青春是一個極短的刹那，是一個捉摸不得的活動影片，所以我們不能加減乘除算過了他；我們須忘却一切的歡樂了他！哦，鍾琪，來罷，歡歡樂樂地過去罷。理智要使人驚醒；感情要使人睡醉。而惡魔屢在驚醒中跳梁着，神常是在忘我的國土內酣睡的。哦，鍾琪，睡罷，醉罷，我們忘我忘他忘一切地笑罷！歡喜罷！跳罷！飛罷！爲什麼我們要苦煩悶……啊！啊！啊！

鶯能

湘哥，湘哥，哦，湘哥！笑啦；你爲什麼要自己流淚？啊！閃閃的珠子似的……

鍾琪

不，總之你們都想沉醉在青春美夢裏永遠不醒的；但那我做不到，我在青春美夢裏過的日子也長久了，不僅不能感到愉快，反把純美的心靈加上了無數的傷痕……這無數的傷痕，舊的，新的！唔，我已決心了，決心了！這一些無味的羈絆！無數的傷痕！

柳湘

鍾琪，哦，假使我或誰能夠醫你那心靈上無數的傷痕……

鍾琪　不，我能夠忍受，我比誰都能夠忍受些，比誰都能夠讓與些……

柳湘　但我沒有什麼可以讓與的；我覺得只有大家快快樂樂地相愛……

鍾琪　快快樂樂地相愛？？大家啊，過去的夢了！什麼都破滅了！大海裏的破釜沉舟了！！哦我的美夢！我的幸福！我的希望！我的安慰！我的仙女！我的前途！啊，啊！我一切的一切！（碧蕪從亭中出來，佇望着亢奮極的鍾琪。）快快樂樂地相愛麼？湘，這句話我拿來祝你！或許象牙塔裏可以收留我這個殘軀……（走向亭中迎面碰着碧蕪。）

碧蕪

鍾琪，你怎麼這樣興奮？苦惱是靑春的消磨劑呀。

鍾琪

哦，碧蕪，你想來安慰我麼，可是緊隨着我的苦惱你奈他何！啊！我的希望，我的心……不，我比誰都能夠忍受些！To bear is to conquer fate！看罷……碧蕪，我決心明天返東京。

碧蕪

呵，鍾琪，你怎麼這樣着急？

鍾琪

不是我着急，是你氣長閑呢！但什麼都好，我已決心了！鶯妹，我們再會罷！湘，哦，我們……（走入亭中）

鶯能

鍾琪，鍾琪！

碧蕪

喂！鍾琪，你要那兒去？（對鶯妹）我看他去來。

鶯能

他不會自殺去的麼？他常說要自殺的。

碧蕪（笑着）

那裏！不過一時的神經興奮罷了。他一般新中國自覺的青年，幸福的小家庭還等他組織呢！

鶯能

啊！我不知道要怎樣好……

碧蕪

這樣神祕的西湖月，這樣花花色的刺激，還說不平麼？那你就太輕蔑了你的青春了……啊，今晚的月娘格外有神采些。湘，你好好地看管妹子，我看看鍾琪去來……哦，湘，你不要儘管望着月亮出神你酒該醒了呀……（退入亭中）

鶯能（走到湘胸前，輕輕打他一下。）！

打死你……（依在湘懷裏）

柳湘（擁抱着鶯能，仰望明月。）

你打罷……（稍停）鶯妹，你到底愛誰呢？

鶯能（嬌懶懶地啜泣着）

我不知道……

柳湘

哦，鶯妹，我曉得你愛誰；你同時愛我們兩位。但我將鍾琪的沙汀印上了擾亂的爪紋了；鶯妹，鶯妹，我的罪麼？這是我的罪我的惡麼？我只愛你，不想其餘；我想你又不是生在他嘴邊的一顆硃砂寶痣，不許人們親近的……

鶯能　是呀，你有什麼罪，有什麼惡呢。

柳湘　不，我給了他無數的傷痕；你聽見了麼，他遞給我那哀怨之心？（兩人默默有頃）

鶯能　湘哥，你說罷，還有呢？你接下去說罷，我喜歡聽你的……

柳湘　啊！要怎樣說好呢……是，我曉得，曉得他苦苦你！（月光格外光明，銀波洒得湘鶯兩人融合在一起似的）

收場

柳湘

……曉得，曉得鶯妹，我早曉得，
早曉得我定會化作一陣熱狂的春風，
將你們脈脈的春波擾亂，
將你們脈脈的花蕊搖動；
但是我的卑怯麼，
我不願，不願對你說：
『棄你心上放肆新長的紫蘿藤，
愛你心上原有深紅之心！』

鶯能

這有什麼，這有什麼不了呢！

柳湘

哦！鶯妹，我的少女！

我熱愛的青春，

我放肆的紫藤蘿，

我只得對他說，剛才在湖中心，

你不也聽了麼，哦鶯妹，你再聽：

『鍾琪，我的小弟弟，

不要垂頭對你哥哥嘆氣；

解你愁結不開的眉尖，

浴你青春歡樂的波浪！

莫要哭，莫要慢慢地淸瘦下去，
莫要尋出悲傷苦悶，
在你哥哥的愛之杯中！
冒着淒風楚雨漫爛而開，
當我們青春的心花未萎時；
衝開惡浪愁波渡過，
當青春我們的心桅未朽時！
莫信陰險的鴟梟，
莫聽嫉妬的小鳥；
我欲拔起牠們的羽毛，
我欲剪斷牠們的舌根！

又莫將你可愛優美的天眞着色，
莫做你徬徨的哥哥之犧牲！
我欲撕破托爾斯泰醜的假面，
我欲搗碎耶穌謊的赤心！
愛你欲愛之愛！
讓你愛讓之讓，
小弟弟喲莫傷心逃去；
我愛着她，還愛着愛她的你……」
哦！驚妹，我的少女！
我聽得月光中他的嗚咽聲，
在淒涼的湖面上，

和着淒涼的秋風陣陣！
但是我卑怯麼，
我只得對他這樣說；
我不願，不願對你說：
『棄你心上不作美的紫藤蘿！』
鶯能
湘哥！湘哥！
柳湘
哦！願天莫生我，只生他和你；
多事我已生，又逢他和你！
願天都莫生，生亦莫相逢；

旋風捲地起，吹上他我你！
又願我莫愛你，讓他平和地；
自然不許我，我也不自許！
又願同你他我，和和樂樂地，
月下歌與舞，問嫉妬來否！
哦！鶯妹，我的少女！
心望你愛我，實望你莫愛我；
愛我使我狂，愛我使人悲！
心望你莫愛我，實望你愛我；
不愛我使我自棄，不愛我使人相欺！

鶯能（啜泣着）

啊！我不知道……

柳湘

哦！鶯妹，我說不出我的心！

好像因我愛你，望你愛我；

又好像因我愛你，

望你莫愛我，莫愛人！

啊，我說不出我的心！

又好像因我愛你，

望你莫笑，

望你無情，

望你莫生！

鸞能（啜泣着）

殺死我罷……

柳湘

殺死你麼，殺死你？

我想殺死你，

又想抱你 kiss……

哦！人生即矛盾，

矛盾是人生；

滑走湖上顧盼好，

不知湖底有何深！

可不是麼，海水好浮泳，

望潮驚，怒濤怨浪奔騰！
歡嘆聲，喚采聲，
聲聲病呻吟！
哦！鶯妹，我的少女！
杏花村的醋魚生蛤，
酸味和血水；
靈隱寺的晚鐘玉泉，
嘆息和清淚！
丟開我罷，你還是跟他東京去，
好生愛慰他，
莫使他垂頭嘆氣，說：

『我受了耶穌的教訓，
愛了我的凶敵……』
哦！鶯妹，我不是他的敵；
如果我是他想，
叫他不要忍痛着左頰，
還要獻上右頰任我打，
我欲搗碎耶穌譌的赤心，
我欲撕破托爾斯泰醜的臉皮！

鶯能

啊！湘哥！湘哥！

柳湘

落葉帶着他的珠淚在我眼前飛舞，
淒風和着你的啜泣在我耳邊哀號。
鶯妹，你還是丟開我罷，
跟他念書愛他去。
鶯能（啜泣着）
我不知道……
柳湘
但哦，鶯妹，我的少女！
我又如何離開得你！
我的靈魂離不得你，
正如他日日要跟着你似的。

他愛你，他愛你，
誰不知我也很愛你，
誰能將你從我心中偷去，
又誰能使我不要了喲，你！
我想借滿山滿湖的風光留住你；
如你去，雲邊海角，
也只有你心窩是我的葬身地！
可不是麼，熱潮之上什麼可浮游，
熱潮之上什麼不拋流？
但哦，一縷哀怨之聲，
嫋嫋不盡，

在我心上哀鳴……
鶯妹，鶯妹喲，鶯妹，
青天碧海無限心，
我願你跟他去，
又不願你離我去！
鶯能（啜泣着）
殺死我罷……
柳湘
看啦，我們像在濃霧中索梅花似的，
那湖中閃着的寒光，
又只表現一些愁波怨意，

去罷，鶯妹，你還是跟他去！

鶯能（啜泣着）

我不知道……

柳湘

哦，鶯妹，我的少女！
去罷，我歡喜你去！
我有無限的傷感，
同時有不可思議的愉快！
眞的呢，
如有誰說我不是眞心望你跟他去，
我定要打誰個嘴巴破裂！

但又眞的呢，
如有誰說我眞心歡喜你跟他去，
我要打誰個半死！
啊，鶯妹，我終說不出我的心底！
鶯能（啜泣着）
殺死我罷……
柳湘
哦，鶯妹，我的少女！
我的喜悅！我的情熱！
我的心！我的意！
我的七色光波！

我的紫外暗光！

我的 Harmony！

我的 Melody！

去罷，你還是去罷，

我終說不出我的心底！

鶯能（儘管啜泣着）

湘哥，湘哥！

我有這樣的幸福，歡喜，

我，我，我不知道……

柳湘

哦！不知道，不知道！

在我這糾蔓蔓依搖搖惡的紫蘿藤上
用你香薔薇滿身美銳的紅頭刺，
刺出我洶亂的鮮血來罷！
鶯能（從湘懷裏抬起頭來，輕輕打他一頓。）
打死你……
柳湘（再俯就些）
你打罷……（不知不覺倆接起長吻來。這時鍾琪從雜木林中出來覷狀，又縮身進去。）
鶯能（猛省着似地從湘懷裏逃去。）
啊！啊！不知道，不知道！
你們都和我絕交！
不然，都是我的哥哥！

他明天要東京念書去了；
你叫我跟他到那灰燼裏！
你呢？你呢？哦，你自己呢？
你就死在這西湖的月光裏！
啊，啊！不知道，不知道！
你們都和我絕交；
不然，都是我的哥哥！
永遠的哥哥哥哥……
那裏，那裏，都是我的，我的愛人！
啊！罪惡麼，是我的罪惡麼？
我愛他，又愛着你……

啊，哥哥，永遠的哥哥，
天上的哥哥，哥哥夢裏的哥哥……
啊！打死你，打死你！（又走到湘胸前亂打他幾下。湘無限的傷懷混亂似的。）

柳湘

哦！鶯妹，鶯妹，我知解你！
愛罷，只有愛悲哀，
這是一切的一切！
莫把你純眞之美向夕陽古道中長埋！
表現你愛之心，發揮你美之靈！
莫說什麼哥哥，夢裏的哥哥，
這些像老谷沈鐘微弱的反響，

使你的迷童兒倆聽！

望雲花中的飛鳥喲，

送你醉人的秋波！

莫徬徨惆悵，

莫迷在薄霧之中，

唱你不自然古舊傷感的戀歌！

喲，鶯妹愛罷，

只有愛，痛愛，悲哀，

這是一切的一切（抱起鶯能狂熱地亂吻，鶯能掙扎着受吻着；終於推開了湘懷抱。）

鶯能

蠢湘哥；瘋湘哥！

啊！眞的可怕！
我在你眼中再看到東京的火災了！
啊！啊！（喊起碧蕪來）
哥兒！哥兒！
柳湘（兩手伸向鶯）
鶯妹，你這樣膽小麽？
鶯能
哥兒！哥兒！（走到燈桿之下，抱着燈桿似的。）
柳湘（逼近鶯，熱狂地。）
你眞的這樣膽小麽？
你怎怕得蝸牛似的？

啊！怎麼好呢！
你躲在繡被中念佛好，
你只好坐在春宵燈下，
聽少爺說些天上的仙女和古代才子的故事！
啊！你怕麼，怕我瘋麼？
但你眼睛叫我瘋，
你的嬌笑使我瘋，
你的纖手使我要瘋！
哦，哦！什麼天上夢裏的哥哥，
又什麼垂頭嘆氣的弟弟！
我要抱你，我要親你！

愛龍，愛龍，痛愛龍，

這是一切的一切。（再迫近鶯能些，鍾琪突從雜林中奔出，望湘胸前撲去。）

鶯能（驚叫）

哥兒！哥兒！

柳湘（手掩胸口，一時的驚動，俄覺傷着了，冷笑着，絕望的冷笑着。）

哦！鍾琪麼？鍾琪麼？

唔，這才是我的鍾琪，

這才是我的小弟弟，

這才是人生……（鍾琪把頭垂下，刀從手中落；同時湘無力的倒地。）

鶯能（驚呼欲絕）

哦！哦！哥兒！哥兒！（趨伏湘身上，這時碧蕉從亭中走出，睹狀驚駭。）

碧蕪
怎麼了？怎麼了！怎麼……
哦！哦！湘殺了麼！
是，是鍾琪瘋了的，瘋了的，
鍾琪從裏面的照相館拿了……
啊，啊！我慢來了一步！
可咒詛的忍氣喲！
可咒詛的能耐喲！（鍾琪垂頭喪氣地直立着，碧蕪走近湘處，婉濤，麗姝，子華，仿山等從亭中出來，羣作駭愕狀。）

鶯能
哦，哦，湘，湘哥！

你怎樣了，你怎樣了！

柳湘（無力地）

你走開罷，血呢血呢，

血會汚壞了你……（目睹碧蕪）

啊！碧蕪麼，我的碧蕪……

碧蕪

怎麼了，湘，傷着什麼地方了？（欲往扶湘，湘揮手作拒絕狀。）

柳湘

剛剛在這個這個上面……（指着胸口）

驚能（扶湘斜依在自己胸前）

湘哥，哦，哦！湘哥，你覺得苦麼？

記憶之都

柳湘（強奮精神撑起頭來）

我不苦痛，鶯妹，一點不苦痛，

我只覺得血流，哦，血流……（裏面犬聲狂吠）

流罷，赤熱的血喲，你流罷！

把裏面醜犬的惡吠聲蓋下罷！

把那古舊的雷峯塔都流跑了罷！

流罷，流成大河，

把我這個做夢的屍首浮出大海去罷……（雲從月面飛過，陰影投在湘，鶯倆的身上。）

啊！月姐兒隱躲了，

不可思議的星星飛跑了！

闇淡的雲帷垂下了……

308

可怕的天地，可怕的，可怕的……

鶯能

湘哥，湘哥，不要怕，

有我呢，我在這兒呢……

啊！鍾琪，鍾琪！（哭着鍾琪不動地喪着氣。）

柳湘

鶯妹，鶯妹，不要哭，不要哭罷……

在這荒蕪的人間宇宙，

在這少味的人生盤中，

我們最好儘管嘗試，

甘的，苦的，辣的，辛酸的，血腥的，

最好能夠利用我們的味覺承受牠，
不要輕輕地放牠從嘴邊漏過了……
鶯妹鶯妹，你那麼傷心麼？
人間有什麼值得傷心麼？
不要這麼悲愁地哭罷！
小鳥似的歡唱罷，
花蝶似的狂舞罷……
可不是麼，鶯妹，你有幾歲？
你不是年紀還輕麼……
不要這麼悲愁的送葬了青春……（聲音漸漸微弱起來）
是，是，天地本是有意識似的無意識地多變化，多變化！

我們什麼，鶯妹，我們什麼？
我們小孩子看罷，只是看罷……
婉濤（走近碧蕪）
快叫船子載過湖邊醫院去……
碧蕪（猛省着似的）
哦！快叫船子載過湖邊！
仿山
眞！是哦，哦，我到後面叫去。（走入亭中）
麗妹（拉着子華的手恐怖着）
啊，啊！
子華（神經質地不知對誰說）

不要怕，不要怕，
有我呢，我在這裏呢……
啊！這才是，哎力喲力喲！
碧蕪（憤怒地向子華）
在狂吠什麽畜生！
柳湘（無力地，聲音很微弱地，喘着氣。）
哦！碧蕪，你在喊什麽，在喊什麽？
一切都極自然，極自然地……
我不苦痛，一點都不……
哦！鶯妹，我的鶯妹！
我很心樂，

我這樣地在你懷中喘着氣……
這樣地，這樣地在你懷中……
再會吧，啊！不可思議的星星飛跑了，
闇淡的雲帷垂下了……
再會吧，永遠地再會罷……
鶯妹，鶯妹……（氣絕倒下）

鶯妹
湘哥，湘哥，哦！我的湘哥！（俯伏湘身上哀泣着；碧蕉扶着鶯能肩膀，踵其突地走到湘倒臥處，俯伏嗚咽着；有頃，鶯能慢慢地站起來，緊着抱碧蕉。）

鶯能
啊！哥哥，哥哥！你帶我回家去，

我想看看母親，看看母親，母親……

碧蕪（悽然地）

不，妹子，你還不曉得我們所處的境地？
幾年來的兵匪把我們的家鄉荒毀了；
你想何處找我們的父母親！
恐怕代着母親的胸懷，
只有殘酷的軍帳匪窩在那邊等罷！
妹子，你有那麼傷心麼？
是，湘死了，死了……
啊！讓他安樂的死罷……湘，湘！

鶯能

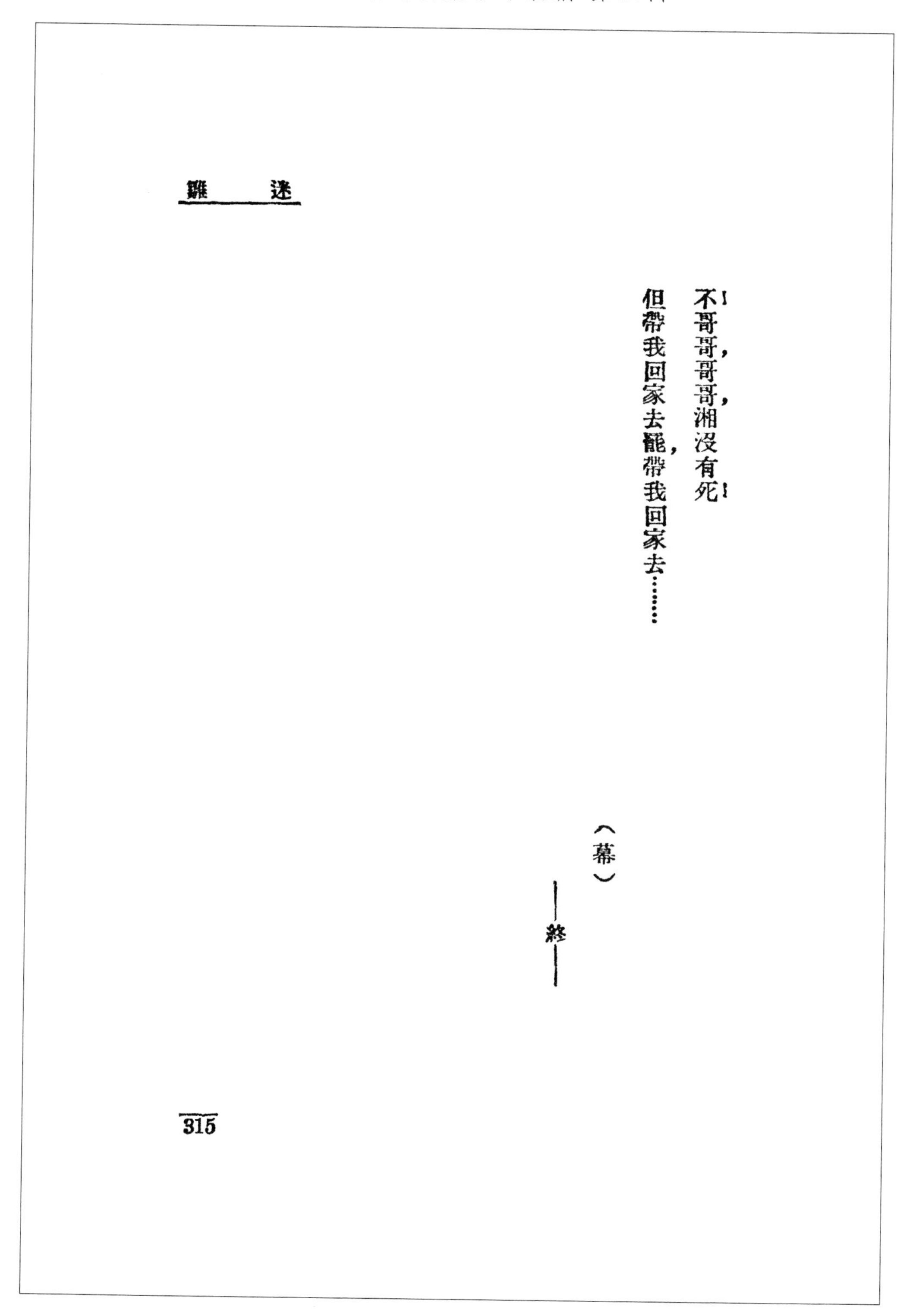

不！哥哥，哥哥，湘沒有死！

但帶我回家去罷，帶我回家去……

（幕）

——終——

一一九六上

中華民國二十六年六月初版

(80937)

文學研究會創作叢書第二集　記憶之都一冊

每冊實價國幣捌角
外埠酌加運費匯費

著作者　楊騷

發行人　王雲五　上海河南路

印刷所　商務印書館　上海河南路

發行所　商務印書館　上海及各埠

(本書校對者尤惠民)